Mots d'excuse
L'Intégrale

Tout ce que les parents
écrivent aux enseignants

PATRICE ROMAIN

Mots d'excuse
L'Intégrale

Tout ce que les parents
écrivent aux enseignants

Ouvrage publié
sous la direction de Claude Fournier

Tous droits de traduction, d'adaptation
et de reproduction réservés pour tous pays.

À mes trois amours :
la Clo, la crevette et Titi.

Avant-propos

Vous êtes des dizaines de milliers de personnes à avoir lu le premier volume de *Mots d'excuse*. J'espère que ces nouvelles perles, toutes authentiques, vous plairont autant.

Merci à tous ceux qui m'ont écrit. Grâce à ce petit opus, j'ai en effet eu le plaisir de recevoir des nouvelles de nombreux anciens élèves... et de leurs parents. Quel bonheur, mais aussi un peu de nostalgie, de les savoir bien installés dans leur vie d'adulte et, pour la plupart... parents d'élèves à leur tour !

Merci aussi à tous les collègues qui m'ont spontanément envoyé les propres lettres qu'ils ont reçues. Ce deuxième recueil n'aurait en effet pas pu voir le jour sans leur précieuse collaboration. Nouveauté du tome 2 : il comporte des missives de parents de collégiens. Signe des temps, on y trouve également des courriers électroniques.

Mais cela ne change rien au contenu : ces mots d'excuse sont toujours aussi attendrissants de bonne ou de mauvaise foi lorsqu'il s'agit de justifier un retard ou une absence ; de fustiger la demi-pension ; de conseiller les enseignants ; de critiquer les autres parents ; de défendre sa progéniture contre l'injustice de l'évaluation, l'agressivité des autres élèves à son encontre ou le professeur trop sévère. Car, quels que soient ses origines, son statut social ou son âge, le père ou la mère défendent bec et ongles leur enfant, qui est toujours le plus beau et le plus innocent de toute la classe.

Ces écrits sont encore plus touchants lorsque la maman ou le papa s'épanchent ou remercient celle ou celui qui a la lourde et noble tâche de former leur enfant à son futur statut de citoyen. Ils prouvent combien des liens solides se tissent tout au long de l'année scolaire entre l'école de la République et les parents, contrairement aux clichés trop souvent véhiculés.

Bref, qu'ils soient critiques ou élogieux, ces mots d'excuse dévoilent l'âme de ceux qui les écrivent. Hauts en couleur, ils nous permettent ainsi de peindre avec justesse et précision les rapports parents d'élèves/école, si riches et si variés, révélateurs de notre société.

Laquelle évolue. Progresse. Ou régresse, affaire d'opinion.

Les sucettes bleues et les «couilles de mammouth» ont relégué les fraises Tagada tsoin tsoin rouges et les Chupa Chups dans le même tiroir que les Car en Sac et les Mistral gagnants, ressortis un instant de l'oubli pour une chanson.

Qui se rappelle encore les scoubidous, qui avaient pourtant détrôné les toupies? Les osselets et les billes ont disparu depuis longtemps, tandis que le stylo à bille prenait le pas sur la plume et l'encre, l'ensemble concourant à l'amélioration toute relative de la propreté des cahiers. Les *pogs* ont laissé la place aux *tamagotchi*, dont plus personne ne se souvient aujourd'hui, puis aux Pokémon, qui font encore de la résistance. Seuls le foot, l'élastique et la marelle restent des valeurs sûres.

Les coupes à la brosse se sont raréfiées. Les tignasses emmêlées ont pris le dessus, cédant toutefois régulièrement devant une attaque de poux ou un mauvais livret. Puis sont arrivés les décolorations, les gels fixants, les mèches tressées, les boules à zéro, les crêtes d'Indien, les tonsures, que sais-je encore, suivant en cela les dernières coiffures de stars éphémères d'une année scolaire, à peine plus âgées que leurs fans, ou les exploits footballistiques de grands garçons en culotte courte.

Les pantalons de velours avec les genouillères en Skaï servent de chiffons. Où sont passés les chemisiers vichy et les marinières? Le jean à fleurs pattes d'éléphant est devenu slim, puis baggy (avec, bien visible, le boxer de marque) que les garçons d'aujourd'hui remontent chaque minute ce qui est ma foi bien pratique pour savoir l'heure. L'écolière est plus proche de la lolita que de la nonnette. Du moins tant qu'on ne l'oblige pas à cacher tous ses atours.

La réforme du nouveau ministre de l'Éducation nationale a remplacé celle de son prédécesseur. Laquelle avait effacé des tablettes la loi du ministre d'avant. Laquelle avait envoyé aux oubliettes celle, etc.

Les stencils ne maculent plus d'encre violette les visages ou les pulls angoras des maîtresses. Aujourd'hui, lorsqu'une odeur d'alcool embaume la salle des maîtres, cela ne provient pas de la ronéo mais du pot de fin d'année. Les jurons s'adressent désormais à cette diabolique machine qu'est la photocopieuse, au moins aussi capricieuse que sa lointaine aïeule à manivelle.

Seuls perdurent, côté enseignants, les cafés (avec sucre et/ou sucrettes) de la récréation du matin et les horaires des récréations, plus calqués sur la météo locale que sur les instructions nationales officielles.

Et les parents dans tout cela ?

Happés par le tourbillon du quotidien, ils s'en remettent bien souvent, faute de temps pour éduquer leur petit, au « maître » ou à la « maîtresse ». Du latin *magister*. J'emploie ces termes volontairement : ce n'est en effet pas innocent si beaucoup d'entre eux continuent à préférer ce mot à celui de « professeur ».

Conscients de l'importance primordiale de l'école, ils exigent des résultats concrets et un enseignant irréprochable (utopie réaliste?) pour leur enfant. Mais la perfection existe-t-elle en ce bas-monde?

Étant mieux éclairés, ils peuvent désormais intervenir à bon escient. Du coup, les professeurs, sous pression continuelle, ont parfois tendance à se brider par crainte de représailles judiciaires et sont attentifs (ou pas) à la moindre de leurs remarques. Cette évolution va-t-elle dans le bon sens? Ce n'est pas à moi d'en juger. Sur l'immense échiquier de l'Éducation nationale, je ne suis qu'un minuscule pion qui continue d'exercer avec passion et enthousiasme un métier pour lequel son vieil instituteur de CM2 lui a donné la vocation, il y a presque un demi-siècle de cela…

Enfin, dernière précision : comme pour le premier tome, dans un souci d'authenticité, l'orthographe originale (originelle?) de ces mots d'excuse a été intégralement conservée.

Bonne lecture!

Patrice ROMAIN
(deux enfants, grands désormais,
donc ancien parent d'élèves,
donc ancien sujet d'hilarité
en salle des maîtres)
patrice.romain@hotmail.fr
http://patriceromain44.blogspot.fr

Je me presse de rire de tout,
de peur d'être obligé d'en pleurer.

BEAUMARCHAIS
Le Barbier de Séville

Mots d'excuse

Les parents écrivent aux enseignants

I. Les tensions entre élèves

Détective privé

Monsieur,

Je me permet de vous écrire suite à une petite enquête que j'ai mené : il y a un mois environ, mon fils a apporté un MP3 à l'école. Il l'a prété à un dénommé Victor. Ce dernier (je met au conditionnel) l'a prété à sa grande sœur qui est au collège. Or, il semble (je met encore au conditionnel) que cette dernière l'a vendu a un 3ème. Ce dernier (je met encore au conditionnel) se l'est fait confisquer par un surveillant.

La s'arrête mon rôle. Pouvez-vous prendre la suite et régler cette enquête avec le directeur du collège afin que nous récupérions notre bien ?

Je vous remerci de votre diligence et reste à votre disposition pour tout témoignage

Peace and love

Monsieur,

Sa commence a bien faire : sa fait pleins de fois que des petits morveux minsulte au téléphone ! Et en plus il racroche au nez ! Je sais que ses les copins a Cédric parce que ils se batte tout le tant a l'école. Merci de leur dire que leur histoires de gosse jan veut pas a la maison. Quils se démerde a l'école je vous fait confiance pour leur an maître une et que sa sarrête.

Merci monsieur.

❧

Intégrisme pileux

Monsieur,

Il y a dans l'école une petite « Jessica », Fanatique des paires de ciseaux !

Elle a coupé une mèche de cheveux de Charlotte (au dessus du Front).

Pourriez-vous réglé cela pour moi et s'il vous plait, veillez à ce que cela ne se reproduise pas

Merci Mr Frimutand.

❧

Règlement de comptes

Madame,

Ma fille se fait embêtée par le célébre Yassine. Pouvez-vous lui demander d'arrêté car si je viens lui dire je ne ferai pas le voyage pour rien. Merci.

❧

Délinquants sexuels

Madame,

Je suis désolée de vous informée qu'il y a une bande de petits vicieus dans les CE1 B qui n'arrêtent pas d'embêtés ma fille en voulant qu'elle les embrasses. Si ils ont des pulsions sexuelles, ils n'ont qu'a se faire soignés, mais ma fille, elle est pas obligée de dire oui a tout le monde. Pouvez vous réglée se problème ?

Merci

❧

P... de M...!

Madame,

Mon fils, qui apprend vite dailleurs, est revenu hier soir de l'école avec un vocabulaire que je qualifirai de «fleuri». Il me dit que ce sont ses camarades de classe qui lui apprennent tout cela. Evidemment, je sais bien que ce n'est pas vous!

Mais pourriez-vous dire à ces grossiers person-
nages de cesser immédiatement?

Bien cordialement,

❦

Mise au point

Monsieur,

Je vous remercie de bien vouloir confirmer à la
dénommée Cécile que je ne suis ni une prostituée,
ni une fille facile, comme elle a tendance à le dire
à ma fille.

Salutations distinguées.

❦

Au voleur

Monsieur

Je fait toujour l'inventaire de la trousse de ma
fille. Je me suis aperçue qu'il n'y avait plus sa
gomme. Veuillez regarder dans les trousses de c'est
camarades car c'est une gomme que j'ai donner a
angélique tout neuf. Il y a G.A. dessus au feutre.
Il lui manque aussi son ciseau rose avec son nom et
son prénom. Je vous remerçie d'avance

❦

Allô, police?

Monsieur,

Merci de faire la police dans votre cour de récréation avant que je ne vienne la faire. Mon fils a le droit d'uriner tranquillement dans les toilettes sans qu'on l'arrose. Je me demande quelle société on construit pour plus tard.

Salutations.

❦

Non-violence

Madame,

Ma femme et moi avons à cœur d'élever notre enfant dans la dignité humaine et le respect des autres.

Or, nous constatons qu'il se fait régulièrement agresser par de soi-disant camarades à chaque récréation.

Je vous signale que, si j'ai fait promettre à Nicolas de ne pas taper sur les autres, cette promesse ne tient pas pour moi. Merci donc de prévenir ses agresseurs qu'ils s'exposent à des représailles. Ce n'est que de la légitime défense.

Je compte sur vous et vous remercie par avance de régler cette histoire à l'amiable.

❦

Zoo

Monsieur

Bénédicte a été victime hier à la récréation d'une bande de sauvages hurlants qui l'ont jeté à terre à la récréation de dix heures.

Pouvez-vous tenir en laisse ces animaux sauvages qu'on appelle élèves dans votre école?

Merci.

꧁꧂

Homophobie

Madame,

Pouvez-vous expliquer aux sinistres individus qui ont traité Frédéric de, excusez le terme, «pédé», qu'ils tombent sous le coup de la loi? Se rendent-ils compte de la portée de leurs propos? De la violence de leurs paroles et du traumatisme engendré?

Sommes-nous retournés au moyen-âge?

Je me réserve donc le droit de porter plainte si de tels actes se reproduisent sans qu'une sanction exemplaire soit appliquée.

Je compte néanmoins sur votre sens du respect et de la tolérance et vous prie de croire, madame, en l'expression de mes sentiments distingués.

꧁꧂

Crainte de représailles

Madame

Iher soir j'ai eut une alctercation avec le père a Bryan. Je l'ai étandu par terre.

Fete attention car je veut pas que mon fils subit a lecole la vengence de bryan car il a les boule que sont père a mangé dur a cause de moi mais ses lui qui a cherché et sa y faut pas.

Merssi davance madame la maitresse

❧

École de rugby

Monsieur,

Mon fils s'est fait bousculer dans la cour par un dénommé Sébastien, du CM2. Je compte sur vous pour dire à ce Sébastien là de ne pas se prendre pour son illustre homonyme Sébastien Chabal.

Je vous remercie d'avance de votre intervention.

❧

Débat participatif

Madame,

Je vous demande si je peux participé au nouveau jeu qui se déroule dans votre école : ils se mettes à plusieurs contre mon fils. Mais moi, je peus resté tout seul !

Donc arreté sa s'il vous plait, merci beaucoup.

❧

Dura lex sed lex

Madame,

Je fais appel à votre sens du devoir et votre inté-grité morale pour faire cesser l'injustice dont est victime ma fille, même si j'ai longtemps hésité avant de jouer les délateurs : sa voisine n'arrête pas de copier sur elle, or, au final, elle a de meilleures notes !

❧

Règlement de comptes

Monsieur,

J'ai hier soir été dérangé à mon propre domi-cile par le père d'Anatole qui se plaignait parce que mon fils, d'après lui, a tapé le sien à la récré, ce qui est loin d'être prouvé ou immérité, au vu de son profil. Cette histoire, vous en conviendrez aisément, relève de votre autorité et de votre compétence puisqu'elle s'est passée sur votre terri-toire. Je vous engage donc à prendre contact avec ce monsieur un peu nerveux afin qu'il me laisse dans la quiétude de mon foyer.

Je vous prie d'agréer l'expression de mes sentiments distingués.

⬮⬮⬮

Droit de retrait

Monsieur Romain étant absent, je me vois dans
l'obligation de m'adresser à vous.

Depuis le début de l'année scolaire, Magalie est
la tête de Turc de certains de ses «camarades» de
classe, avec toutefois quelques accalmies.

Cela s'est traduit dernièrement et en plusieurs
occasions par des insultes, crachats, bousculades,
coups et bris d'objet personnel.

Magalie n'a plus envie de se rendre en classe et
hésite à sortir seule de la maison de peur de les
rencontrer.

J'estime que Magalie ne dispose plus de sécurité
suffisante et ne se rendra donc pas en cours jeudi.

Je vous demande s'il est possible d'envisager son
transfert dans une autre école afin qu'elle termine
son année scolaire normalement.

Sincères salutations

II. Les poux

La honte

Monsieur

Bérangère était remplie de poux, de lentes. Je lui est fait une teinture colorente. Merci de faire passé le message. C'est une Honte d'arrivé à l'an 2000 et d'avoir des poux,

Merci d'avance

❧

Avis d'enquête

Madame,

Cela fait maintenant trois fois en deux mois que ma fille est remplie de poux. Mais d'où viennent-ils ? Est-ce que vous pourrez vérifiez les têtes des autres et dire au coupable de se traiter ? Merci d'avance.

❧

Secret-défense

Monsieur,
Veuillez trouver sous pli fermé ce mot qui vous informe que mon fils Steven a attrapé des poux. Je compte naturellement sur votre discrétion et sur celle de vos collègues pour enquêter afin de retrouver celui ou celle qui contamine les autres.
Sentiments respectueux.

❧

Conseil pédagogique

Madame,
En classe, quand vous en serez à la règle du pluriel des noms en « ou », pensez à insister auprès de certains de vos élèves sur les « poux » : Frédéric en avait plein la tête hier soir...

❧

La fin du monde

Monsieur,
Il est arrivée une catastrophe a la maison hier soir : Julie est revenu de l'école avec des poux pleins la tête. Nous lui avons coupé les cheveux pour la soignée. C'est pour sa quelle porte un bonnet. Merci quelle le garde en classe passque comme sa

sa évite quelle en ai d'autres et en plus elle a un peu la honte avec ses cheveux coupés.

Merci monsieur, on va sans sortir vous en faite pas.

❧

Alerte générale

Monsieur
Justine avez des lentes et des poux. Attention ! Attention ! Merci d'avance de prevenir les autres parents.

❧

Légaliste

Monsieur,
D'après la loi, est-ce que les élèves qui ont des poux ont le droit de venir à l'école ? Car ma fille en a encore attrapé ! Il serait temps de faire appliquer la loi !

❧

Déçue

Monsieur,
Je pensais votre école bien tenue car elle a bonne réputation. Eh bien non ! Ma fille a attrapé des poux hier. Je vous prie donc de rapidement faire le néces-

saire pour ne pas écorner votre image de marque en éradiquant ces sales bêtes dans les plus brefs délais.

Respectueusement,

❦

De bon conseil

Monsieur,

J'ai bien lu votre affiche dans l'entrée.

Vous dites que les poux sont de retour? Permettez-moi de rire à gorge déployée: Ah! Ah! Ah! Je vous annonce en effet qu'ils ne sont jamais partis!

Et si vous investissiez dans les insecticides plutôt que dans du matériel à l'utilité douteuse, qu'en pensez-vous?

Excusez mon ironie coléreuse.

Je vous salue respectueusement.

❦

Cyclique

Monsieur,

Septembre: des poux. Décembre: encore des poux. Mars: toujours des poux. Je fais des provisions de parapoux pour le mois de juin!

Merci de mettre les autres familles en garde!

❦

Délateur

Madame,

Je vous informe confidentiellement qu'il y a dans votre classe un ou plusieurs élèves assez sales pour avoir des poux. La preuve : mon fils en a attrapé.

III. Les absences

Fataliste

Monsieur

Escuser moi, pour ce Matin une petite panne de Reveille. Que voulez-vous, c'est la vie !

Merci d'avance.

❧

Routard pédagogue

Madame,

Vous savez peut être, je suis routier et je voyage beaucou. J'ai pensé qu'il est bien pour mon fils de l'amené voire du pays, surtou pour sa géographie. Je par demain et je vous pris d'escusé son absensse pour jeudi et vendredi.

Merci il vous ramenera un souvenir.

❧

C'est courant

Monsieur
Escuser moi pour Lundi panne de Reveil. Et oui ça arrive a tout le monde même a moi !
Merci.

❧

Simple distraction

Monsieur
Jennifer n'a pas put aller à l ecole ce matin car elle avait oublier son cartable chez sa Grand mère Le B.

❧

Maman non présentable

Monsieur le directeur
Veuillez exuser l'elève Sophie V. pour son absent je n'ai pas pu me presenté avec elle parce que son père m'a frappé je ne peux pas sortir.

❧

Guerre à l'école

Ma fille T. Stéphanie, ne pourra pas venir à l'école le samedi 13 janvier.

MOTIF : Maux de tête et fièvre en raison des blessures qu'elle a eu au visage à l'école.

꩜

Télégramme

Nous somme partie en wik – kem

꩜

Ah, si vous saviez !

Monsieur,

Cela fait quatre fois que ma fille est absente et cela fait quatre fois que vous me demandez un mot d'excuse. Je crois savoir que vous n'avez pas d'enfant. C'est sans doute la raison pour laquelle vous vous acharnez ainsi. J'excuse donc une nouvelle fois Bénédicte.

Salutations distinguées

꩜

C'est l'enfer

Monsieur,

Je m'escuse que Jennyfer ne c'est pas présenté à l'école ce matin. Car sont petit frère à la varicelle, moi la maman je passe des nuits d'enfer, parole.

Merci d'avance.

꩜

Priorité

Madame,

Ma fille Barbara n'est pas venu en classe vendredi car j'avais des choses très importante a faire et sa ma pris toute la journée. J'aurai du vous avertir avant, sa c'est décidé a la dernière minute. Je m'en excuse.

Veuillez madame recevoire mes salutations.

❧

Prudence

Monsieur,

Cindy n'a pas étée en classe ce matin, sa maman avais des douleurs. Préférant ne pas prendre de risque, sa maman a jugée bon de la garder auprès d'elle, au cas où il y aurais urgence. Je vous prie de recevoir monsieur l'expression de notre profond respect.

Cordiallement

❧

Têtue

Madame,

Sarah est venue jeudi mais la porte était fermer. Elle a été sonner à la porte du directeur mais personne ne lui a répondu. Elle est donc remonter à

8 h 50 à la maison car elle avait insisté espérant que quelqu'un passerait par là. Salutations.

❧

Profs disparus

Monsieur.

Bénédicte s'est rendu a l'école lundi 3 mars à 8 h 25. elle et revenue car elle ne vous a pas vue dans la cour. Il y avait que des élèves. Je l'est envoyer 2 fois à l'école. Je vous prie de m'exusé. Mais je l'est bien envoyer a l'école lundi matin 3 mars à 8 h 25.

Sa tante

❧

Contrition

Monsieur

Escuser moi pour samedi matin. Encorre une petite panne de reveil. Escuser moi encorre. Pardon. Pardon. Pardon.

❧

Pas ma faute

Monsieur,

J'ai l'honneur de vous demandé de bien vouloir avoir l'obligence d'excusé mon fils Toussaint pour son absence d'hier totalement indépendente de sa volonté et de la mienne dailleurs.

Veuillez agréé, monsieur, l'expression de ma plus sincère et respectueuse considération distingué.

❧

Pas ma faute *(bis)*

Monsieur,

Veuillez escusé l'absence de Cédric hier mais ses mon ex mari qui l'avez ce week end et il est parti chez les parents à son espesse de copine en Bretagne et ce faignant il a pas eu le courage de me le rendre dimanche soir il la gardé à dormir chez lui mais ne vous en faite pas j'ai téléphoné à mon avocat et ça va chaufé pour son matricule car lécole ses important.

❧

Bavarde

Veuillez exuser l'absence de l'élève Dupont Aurélie le samedi 4 avril, parce que j'ai eu une petite discution à la maison. Nous étions obliger de partir.

Veuillez agréer tous mes salutations distinguées. Merci d'avance.

❧

Anti-réforme

Johnny n'était pas la samedi matin. C'est bien beau de faire des réformes mais ont ferait mieux de s'attaqué au problème du samedi matin qui emmerde tout le monde, enfin moi en tout cas. En plus il a pas classe tout les samedi j'y comprend rien. Se mot est valable pour l'année.

Merci d'avance de votre compréhension.

❧

Tous mes vœux de bonheur

Madame,

Veuillez escusez l'absence de Jimmy pour lundi dernié mais on était au mariage à son tonton Kéké et sa tata Dodo. Il aurait raté sa pour rien au monde !

Merci !

❧

Pas organisée

Escuser moi pour l'absence de Kévin pour samedi dernié mais en se momant ses vraiment le bordel a la maison et en plus il fallait faire les courses.

❧

Innocente

Monsieur,

Damien était absent hier après-midi car il ma acompagé au comissairia pour une histoire pas clair mais moi je ni suis pour rien du tout. Ne croyé pas se con dit! Se son des histoires con raconte! Sa reste quand même entre nous deux car vous conaissé les gens du quartier comme ils on vite fait de raconté nimporte quoi.

Merci.

❧

Honnête

Monsieur,

Je ne vais pas vous racontez des contes à dormir debout. Si Didier n'est pas venu hier à l'école, c'est qu'il a eu une crise de flemmingite aigüe.

Mais bon, pour une fois je ne vais pas lui jeté la pierre, et vous non plus j'espère…

❧

Philosophe

Madame,

C'est sûr, ma fille n'était pas à l'école hier. Mais, quand on y réfléchit, qu'est ce que 6 heures dans toute une vie? N'y a-t-il as des choses autrement plus graves en ce monde?...

Sincèrement vôtre,

❧

Bis repetita

Alors oui, Elisabeth a encore été absente et alors vous allée lui demandé un mot et bien cette fois ci je vous le done avant et vous pourez rien lui dire.

Merci d'avance

❧

Grosse fatigue

Monsieur,

Je vous prie de bien vouloir excuser les absences répétées de Dorian ces deux dernières semaines.

Trop de démarches, trop de fatigue, trop de contrariété, de tristesse…

On dit toujours que le temps travaille pour nous mais il est bien difficile au bout de si peu de temps de calmer les douleurs.

Sentiments les meilleurs.

❧

Simples coïncidences

Monsieur,

Je tiens à vous rappeler aussi que malheureusement si Lucie à été autant absente ces derniers temps c'est parce qu'elle n'as pas arrêter d'être malade et que par hasard cela tombait le lundi. Vous pouvez vérifier ses absences de l'année dernière ce n'est pas une élève qui manque souvent l'école.

Malheureusement je ne pourrai faire en sorte qu'elle ne tombe pas malade un lundi matin et je m'en excuse.

Salutations

⁓

Tissu de mauvaise qualité

Madame,

Escusez Angélique pour vendredi : comme il pleuvait sa robe pour le mariage allé déteindre alors elle est resté a la maison.

⁓

Impossibilité physique

Lundi, Valérie ne pouvait pas venir à l'ecole parce qu'elle ne pouvait pas se reveillé elle s'est reveillé à 9 h 00.

⁓

Habituée

Monsieur
Escuser moi, pour ce matin une panne de reveille.
Merci d'avance.

❧

Habituée *(bis)*

Monsieur
Escuser moi pour samedi panne de reveil.
Merci d'avance.

❧

Habituée *(ter)*

Monsieur
Escuser moi pour ce samedi Matin. Une petite
panne de Reveil
éscuser moi encore
Merci d'avance.

IV. Les retards

Promesse

Monsieur
N'ayant Pus se reveiller à L'heure Je Vous adresse toutes mes sinceres escuses les plus Plates. à l'avenir Nous allons essayer que, cela ne se reproduise.
Veuillez, croire en mon Profond respect

❧

Le petit frère est malade

Monsieur
Escuser moi pour se Matin. Car le petit frère à Sassia à ete Malade toute la nuit et il a chié partou.
Merci d'avance

❧

Amateur de foot

Monsieur,
Je m'escuse pour le retard a Tony, mais on a fait la fête hier avec la victoire de l'OM. Vous qui aimé le foot vous devez comprendre.

Sur ce bon courage pour se matin. Moi je retourne me couché.

⁂

Débordée

Monsieur,
Oui Thomas arrive souvent en retar et non je ne fait pas de mot. Mais si vous voulez maidé le matin avec les quatres a habiyé, ya aucun problème je vous ouvre la porte quand vous voulez.

⁂

Réveil contrarié

Suite à une nuit agitée Causée Par mon fils Stéphane, de 7 mois le réveil de ce matin m'a été Compromis.
Merci

⁂

Retardataires ponctuels

Je soussigné, Madame C. que mes enfants, David et Virginie V. se présentent en classe ce jour le 27 juin 2006. à 10 h 15 présises.
Salutations
Distinguées

❦

Logique

Monsieur,
Mon fils etait en retard hier, mais il navait pas de mot parsse que si je fesais un mot il serait encore plus en retard et vous aurez été encore plus en colère.

❦

Fuseau horaire

C'est facile a dire que ma fille était en retard, mais vous n'avez jamais pensé que c'était vous qui êtes en avance? Parce que j'ai l'heure de la télé! Vous avez qu'à vous mettre a mon heure et ma fille sera a l'heure, c'est pas plus compliquer!

❦

Encore à cause du petit frère

Escuser moi pour ce matin, mauvaise nuit avec leur petit frère. Merci d'avance.

❧

Problème de géométrie

Monsieur,
Vous me dites que Christophe était encore en retard ce matin. Je vous promets pourtant que je le lève avant de partir travailler. Pouvez-vous lui expliquer que le plus court chemin pour aller d'un point à un autre c'est la ligne droite et non pas le tour du quartier parce que à mon avis il doit prendre le chemin des écoliers.
Salutations

❧

Je serai brève

Madame,
Pisque vous voulez un mot d'escuse pour le retard à ma fille, le voila.
Au revoir.

❧

On ne va pas chipoter

Madame,

Vous me demandez un mot d'excuse pour le retard exceptionnel de Charlotte. Soit. Ne pensez-vous pas cependant qu'à l'heure où se prépare peut-être la 3ème guerre mondiale il y a des choses plus importantes dans la vie?

Salutations distinguées

❧

Y a pas que lui!

Monsieur,

OK mon fils a était en retar hier. Mais quand ces un prof vous lui demandé aussi un mot?

❧

Y a pas que lui *(bis)*

Monsieur,

C'est la conscience tranquille que je vous écris pour excuser l'absence de mon fils avant-hier après-midi. Juste une petite question : exigez-vous toutes ces tracasseries administratives des autres élèves?

❧

Boute-en-train

Monsieur,

Je sais ce que vous allez dire : un retard ça va, trois retards bonjour les dégâts.

Désolé donc pour Yohan, merci de votre compréhension, un peu d'humour ça ne fait de mal à personne.

❧

Laïcité

Maintenan que cé le ramadan, vous allé nous laissé tranquil avec vos istoirs de retar a brahim jespèr.

Merssi de votre respet.

❧

Mauvais exemple

Madame,

OK mon fils était en retard hier, j'avou. Mais quand un train arrive en retard, vous demandez un mot d'excuses à la SNCF ?

Salutations et joyeux Noël (en avance)

❧

Idée originale

Monsieur,

Vous dites que Sébastien était en retard hier. Pour moi, il était à l'heure. Afin d'éviter ces échanges stériles de mots sur les montres qui n'indiquent pas la même heure, y aurait-il moyen d'installer une sirène sur le toit de l'école, que vous actionnerez quand c'est l'heure ? Je crois savoir que celle des pompiers à la mairie n'est plus utilisée maintenant, vous pourrez peut-être la récupérer ?

V. Les contestations diverses

À chacun son travail

Monsieur,

Il est hors de question que mon fils ramasse à nouveau les papiers dans la cour. Je paye des impôts (ce qui n'est pas le cas de tout le monde dans cette école) et ça doit servir à quelque chose.

Salutations distingués.

❧

À chacun son travail *(bis)*

Madame,

Oumar ne couvrera pas le livre de la « bibliotèque de l'école » car se n'est pas son rôle et il a emprunte « non » couvert. l'esclavage, ces fini !

Merci

❧

Remise en cause pédagogique

Vous faite faire de l'ordinateur à mon fils en classe. Bravo! Je vous signale quand même qu'il en a un à la maison et déjà qu'on lui dit qu'il passe trop de temps dessus! Et en plus, il a du progrès a faire pour ses tables de multiplication alors je ne sais pas si votre méthode est la meilleure pour qu'il travaille de ses mains plus tard.

❧

Remise en cause pédagogique *(bis)*

Madame,
Mon fils n'a rien compris a la multiplication avec vous et quand je lui est expliqué il a tout compris. C'était claire comme de l'eau de roche. Vous ne penser pas que votre méthode est un peu bizare?

❧

La fourmi n'est pas prêteuse

Madame,
J'élève mon fils dans le respect de nos valeurs laïques et républicaines et dans l'amour de son prochain. Je l'encourage donc à rendre de menus services.

Mais là, trop c'est trop : vous serait-il possible de demander à son voisin d'acheter un tube de colle ? Mon fils n'est pas une vache à lait : prêter une fois, d'accord, mais tous les jours, non !

Je vous prie de croire, madame, en l'expression de mes sentiments distingués.

❧

Pas logique

Madame,

pourquoi Ibrahim devra payer 15 euros pour un vieux livre tous déchirer qui date de plusieurs années et en plus les pages vont que a droite, a gauche ?

Merci

❧

Avis déterminant

Madame,

Jordann n'a pas fait les lignes que vous lui demandiez car moi sa mère et responsable de lui, n'a pas voulu qu'il les fasses car je trouve cela vraiment inutile.

❧

Incompétente

Comment voulé vous que je fasse un costume de soldat pour Firmin ? Je ne suis pas couturière, je suis juste sa mer !

Punition injuste

Monsieur,
Mon fils ne fera pas sa punition car il est innocent et je le crois. Oseriez-vous affirmer par écrit qu'il est coupable ?
Sentiments distingués.

Punition injuste *(bis)*

Monsieur,
Vous avez eu raison de punir Christophe s'il a fait une bêtise. Le problème, c'est qu'il n'a rien fait. Alors ? J'attends une confirmation de votre part pour qu'il fasse ses lignes.

Avis pédagogique

Madame,

Les têtes vertes qui sourient et les rouges qui font la tête, ça égaie peut-être les cahiers, mais je ne suis pas certaine que cette notation soit celle du baccalauréat. Est-ce ainsi désormais que vous devez préparer les élites françaises ?

Signé : une maman mécontente des directives ministérielles qu'on vous impose.

❧

Régime

Monsieur,

Vu son poid, Jordan ne mange pas de bonbon. Pourquoi il faut qui ramasse les papiers dans la cour ? Il est deux fois punis !

Merci d'avoir pitié de lui.

❧

Manque de condition physique

Monsieur,

Alors là je suis littéralement stupéfaite : il paraît qu'on oblige mon fils à débarrasser la table à la cantine ! Je croyais pourtant que, vu le prix qu'on nous fait payer (enfin, pas à tous, suivez mon regard), il serait dispensé de ce genre de tâche...

Si vous voulez exiger de lui des résultats scolaires l'après-midi, ne l'épuisez pas le midi!

Bien à vous et sans rancune,

❦

Opprobre

Madame,

Permettez-moi d'émettre de vigoureuse protestations car je ne suis pas du tout d'accord avec vous sur la punition de Sarah.

Je vous agrée mes salutations distingués, néanmoins.

❦

Criminel

Madame,

Comme vous le savez sans doute, Eléonore, ma femme et moi sommes végétariens et ne faisons de mal à personne.

C'est pourquoi nous avons été choqués par votre idée d'apporter une sardine en classe afin de la disséquer pour montrer ses branchies.

Nous vous demandons instamment de ne pas obliger notre fille à assister à ce genre de scène de boucherie d'un autre temps (les médias s'en chargent malheureusement). Il ne nous semble d'ailleurs pas que cela soit au programme du primaire…

✥

Détail primordial

Madame,

J'accepte le non acquis de Mickaël en devoir, mais je vous signale quand même que la chèvre de monsieur Seguin s'appelle Blanchette et non Blanquette*. Vous devez confondre avec le vin !

Permettez-moi à mon tour de vous mettre non acquis. Je blague naturellement, encore que, si les parents notaient les profs, il y aurait des surprises !

Respectueusement,

Note de l'auteur : le nom est bien Blanquette…

✥

Mon fils, ce génie

Quoi ? Mon fils doit faire du soutient ? Il est pas fous que je sache ! Je suis sa mère, non ?

Et si vous avez besoin de mon avis et bien je vous dit non, c'est dit.

En revoire madame

✥

Pas vu pas pris

Monsieur,
Vous dite sur la feuille que mon fils a triché. Franchment, y'a jamais eu un but daccordé avec un hors jeu que l'arbitre avé pas vu ? Alor si vous l'avé pas pris en flagrant délis, c'est trop tard !
Merci davance.

❦

Pas tout compris

J'ai bien lu votre mot. pour qu'on mette des microbes dans ma fille, non merci ! Il est pas question quelle se fasse vaccinée ! Sandra n'est pas une vache ! J'ai pas confiance dans la ministre, et je reste poli.
Mais vous sa va.
Merci donc pour le non que je vous dit. C'est moi qui est responsable d'elle.

❦

Désinfection

Monsieur,
Il y a dans votre école des élèves qui visiblement apportent un tas de microbes d'on ne sait où car leurs camarades tombent comme des mouches. N'y aurait-il pas moyen de faire appel aux services

municipaux (ils ne doivent pas être débordés) pour désinfecter l'air des classes de nos enfants?

Je vous remercie de votre compréhension et vous salue respectueusement.

❧

Na!

Madame,

Ces quelques lignes juste pour vous dire que je suis très mécontente.

Je vous dit au revoir, madame, mais je ne vous salut pas.

VI. Les contestations de notes

Un point, c'est un point

La moyenne de français est pour moi de 7,93 et non 7,5

Par ailleurs pourquoi un C en gym alors que Sylvie a été pratiquement absente du fait de ses verrues ???

❦

Je m'en moque

Monsieur,

Si vous pensé que Barbara a pleurée a cause de son D en gym vous vous trompé lourdement : on veu pas en fair une champione olympic !

Au revoire monsieur.

❦

Non, ma fille n'est pas bête

Monsieur,

Myriame à révisée les leçons des matières qu'elle avait pour lundi et non ceus de mardi étant donné qu'il n'y avait pas grammaire ce jour je ne vois pas le rapport avec ce mots à faire signer. et de plus Ma fille n'est pas amnésique comme vous lui faîte ecrire. une défaience peux arriver.

Merci de votre compréhension de ma réaction à ce mot.

Cordialement

❦

Sans rancune

Monsieur,

Je trouve étonant que Sylvie ai un ab seulement en conduite alors que sa voisine qui n'arrête pas de bavarder avec elle a un tb. Je vous fait quand même confiance mais quand même il me semble important de signaler cette injustice car ma fille n'ai pas plus cancre que sa voisine dont je ne dirais pas le non car je ne suis pas une balance.

Je vous présente mes sentiments distingués et je ne vous en veut pas.

❦

Vérificateur assermenté

Madame,

Pourriez-vous avoir l'obligeance de bien vouloir me transmettre votre barème de notation du contrôle de mathématiques ? J'ai bien évidemment entière confiance en votre honnêteté intellectuelle, mais je souhaite vérifier quelques points…

Je vous remercie de votre compréhension et vous prie d'agréer l'expression de mes sincères salutations.

❧

Signature sous condition

Je refuse de signé une note aussi mauvaise. Thomas ma dit qui devrait avoir la moyenne. Merci de bien vouloir corrigée la note pour que je la signe.

❧

Contestataire, mais poli

Madame,

Sauf erreur ou omission de ma part, il me semble que la moyenne de français de Sylvie est de 14,5 et non pas de 14 tout court. Je vous pardonne aisément car je sais que vous êtes incapable de faire du mal à une mouche, à moins que ce ne soit une faute de frappe, mais les bons comptes font les bons amis.

Vous remerciant de l'attention que vous porterez à ma requête, je vous prie de croire en mes meilleurs sentiments les plus respectueux.

❧

Ma fille est un cancre

Je ne suis pas très d'accord avec vos notes! Sabrina fait trop d'étourderies! des ab quand elle peut avoir tb! et tb quand c'est ab!!! bizarre!! Tout un dimanche passé à lui expliquer ce qu'elle n'a pas acquis en classe. Elle aurait dû redoubler le CE1

Signé: parent insatisfaite de l'élève qu'est sa fille!!!

❧

Négociations

Madame,

A cause de vous, Julie a pleurée hier a cause de ses notes. Je sais que vous avez bon cœur. De toute fasson, tout le monde passe. Alors pourquoi la rendre maleureuse? Un ou deux points en plus ne ferai de mal a personne et Julie ne pleurera pas. S'il vous plaît, faites un geste pour ma fille et je vous remercirai sincérement.

Merci davance de votre générosité, vous êtes bonne.

❧

Correction

Madame,

Ne gronder pas Mélanie pour la rature sur son devoir : s'est moi qui est mis 12 au lieu de 10 parce que vous vous êtes tromper, mais ne vous en faite pas, sa arrive a tout le monde.

Salutations distingués.

VII. Les certificats médicaux

Médecin étourdi

Monsieur

Veuillez croire en mon profond désolement au sujet du certificat médical pour Cindy. Notre médecin a eu une méprise, qui dès jeudi seras réparée.

Nous vous adressons notre profond respect et vous disons a bien tôt.

⌘

Médecin remplaçant

Monsieur,

Théo était absent lundi car il était malade mais pas assez pour aller au médecin. Si ça peut vous rendre service, je veut bien vous faire un certifica médical pour l'absence.

Bien à vous.

⌘

Économe

Monsieur,

Dans le but de ne pas creusé la sécurité social, je n'ai pas amené Cyril au médecin.

Je le remplace donc en m'escusant pour cause de diarée.

❧

Erreur sur la personne

Monsieur,

Je m'escuse pour l'absence a Jordan hier: en fait ce fût une tragique méprise car lui il etait pas malade et ses Kévin qui etait malade et je me suis tromper j'ai fait l'inverse vous pouvez demandé a madame T... Kévin etait en classe avec elle et du cou Jordan etait à la maison.

Pardon de tout mon ceur.

❧

Certificat postabsence

Madame,

J'ai un rendez-vous chez le médecin pour vendredi donc je demanderais le certificat à ce moment là au médecin mais on en vois pas trop la nessecité car Mildred est resté à la maison car sa petite sœur avait la rougeole. au cas où Mildred l'avait attrapée aussi puis après c'était les vacances. Maintenant si vous voulez prévenir l'académie c'est vous que ça regarde.

Bien cordialement.

❧

Malade imaginaire

Le médecin n'a pas trouvé de maladie digne de ce nom à Paolo et a décidé qu'il devait retourner à l'école. Un coup de blues… ou de fatigue !

❧

CQFD

Madame,

Je ne peus pas vous donée un certifica médical pour Sarah passque je nan ai pa mes elle était malade hier, mes elle ai solide et elle va pas au medessin pour sa et en plus j'ai pas dargen. Que voulé vous que je vous dise dautre ?

❧

RTT

Monsieur,

Je vous prie de bien vouloir excuser l'absence de mon fils Guillaume hier toute la journée mais vous connaissez sans doute les difficultés que traverse actuellement l'hôpital public depuis les 35 heures. Nous avions rendez-vous à onze heures mais, sans doute à cause du manque de personnel, Guillaume n'a vu le médecin qu'à quatorze heures. Croyez bien que nos estomacs en ont été les premiers contrariés...

Cordialement,

❧

Déficit de la Sécu

Monsieur,

Est-il necessaire de donner un certificat medical pour une dispense ponctuelle de piscine ? Je pense pouvoir juger quand une seance de piscine à un moment precis peut avoir une incidence plus grave sur la santé de Melissa. La maitrise de depense de sante publique passe aussi par la comprehension (Melissa n'a eté dispensée que de 2 seances depuis le debut de la piscine.)

❧

Justificatif médical post maladie

le 20 mars 2009*

Je soussigné, docteur G..., certifie que l'état de santé de l'élève Barbara N. a justifié son absence de l'école du 2 au 20 mars 2009.

Note de l'auteur : après contact téléphonique avec le praticien capable de deviner quel était l'état de santé d'un patient trois semaines avant la date de la consultation, ce dernier a admis son « erreur ».

❦

Pièce à conviction

Monsieur,

Vu qu'il est Bizarre que Sarah ai encore été malade un lundi matin

En voici la Preuve.

Comme cela Vous Vous Passerez l'envie de lui faire des reflexions.

Note de l'auteur : mot écrit au dos d'une ordonnance médicale.

❦

Double jeu

Classe de neige :

Je soussigné, docteur G…, certifie que l'état de santé du jeune S… lui permet la pratique du ski.*

Dispense d'Éducation Physique et Sportive :

Je soussigné, docteur G…, certifie que l'état de santé du jeune S… le dispense de toute activité sportive pour l'année scolaire.*

Note de l'auteur : ces deux certificats ont été établis lors d'une même consultation. Ni le praticien, ni le conseil de l'ordre des médecins n'ont daigné répondre à mes courriers.

❦

Médecin incompétent

Madame,

Veuillez escusé l'absence de Jonathan lundi et mardi. Le médecin est venu mais il a di que Jonathan nétait pas malade mais moi je suis sa mère et je sais qu'il était malade alor il a pas voulu signé de certificat. La prochaine fois je changerais de médecin et vous aurez un certificat, je vous le promes. Merci de ne pas prévenir l'inspection car la prochaine fois ce sera un vrai médecin qui signera le mot et j'ai déja ressue une lettre de l'inspection.

Je vous remerci.

VIII. Les tensions maître-élève

Qui c'est qui décide ?

Madame,

Vous me donnez rendez-vous jeudi à 17h. Vous croyez peut-être que je n'ai que ça à faire ? Je travaille, moi, à cette heure-là. Je ne suis pas à votre disposition. Je vous donne donc, moi, rendez-vous le vendredi 25 à 17h.

Je vous remercie et vous adresse mes salutations distinguées.

De bon conseil

Monsieur,

Je vous prie d'excuser l'absence d'Aline pour les Vendredi 29 et Samedi 30. Un certificat Médicale vous est Fourni pour cela.

De plus Aline semble assez fâcher depuis un certain Temps. Après vous, comme après certains éleves. Je pense que vous devriez essayé d'en savoir plus. Quand à moi Je pense venir vous voir très Bientôt pour que nous en parlions ensemble.

Je vous remercie de votre compréhensions et vous prie d'acceptez mes remerciement ainsi que mes Salutations distingués.

∽∾

Erreurs judiciaires à répétition

Et encore une punition! Et encore une fois, Stéphane me dit qu'il est innocent! C'est de l'acharnement pédagogique, ça!

∽∾

Dures conditions de travail

Monsieur,

Vous faites un métier très difficile et je n'aimerai pas être à votre place car j'avous que vous avez beaucoup de patience avec vos élèves et que vous n'avez pas le droit de les frappés même quand ils vous énervent. Je sais aussi que vous n'êtes pas bien payé. Mais moi aussi je travail dur et sans doute encore plus dur que vous et je gagne moins que vous sa c'est sûr. Alors pourquoi mon fils me dit que vous criez sur lui même quand il a rien fait?

∽∾

Fonctionnaires

Madame,
Ca vous ai facile de vous en prendre au plus petits, surtout que vous êtes fonctionaire! Dans le privé, y a lontant que les parents vous aurez viré!

❧

Déception

Monsieur,
L'année dernière, quand j'ai demandé que Ludovic aye dans votre classe, je croyais que vous étez gentil. Résultat: cinq notes en dessous de la moyenne depuis le début de l'année! Croyez bien que je regrette mon choix! Alors, s'il vous plait, essayé de redevenir comme avant.
Merci d'avance et salutations distingués.

❧

Amateur de foot

Et un, et deux, et trois zéros! Mon fils est donc un dangereux délinquant?
Ou vous lui en voulez?

❧

Je veux en être sûr

Madame,

Vous avez fait le choix étonnant de punir Bertrand bien qu'il n'ait rien fait.

Je ne proteste pas et l'accepte.

Vous savez cependant que nous sommes dans un état de droit. J'ose donc espérer que vous avez des preuves solides car, jusqu'à preuve du contraire, un suspect est innocent avant d'être coupable. C'est l'habeas corpus. Je vous demande donc de me fournir des preuves tangibles de sa pseudo culpabilité, faute de quoi je m'autorise à porter cette affaire plus haut.

Je vous adresse mes plus sincères salutations distinguées et vous souhaite bon courage pour démêler l'écheveau de la justice.

❧

Que faites-vous ?

Monsieur,

Ca vous va bien de criyé sur mon fils mais je vous signale qui ya des anciens eleves a vous qui vendes du shit dans le hall de mon imeuble. Alors, Vous dites rien ?

❧

Vexé

Monsieur,

De quel droit vous permettez-vous de dire que mon fils est mal élevé ?

Je ne vous salue pas.

❧

De bon conseil

Madame,

Je suppose que si vous avez choisi ce métier, ce n'est pas uniquement pour les vacances scolaires. Ne croyez-vous donc pas que l'indulgence et la patience doivent être les qualités premières d'un bon pédagogue ? Pierre n'a-t-il pas le droit à l'erreur ? Pourquoi le condamner sans autre forme de procès ? Je suis prêt à en discuter avec vous si vous le souhaitez.

Dans l'attente,

❧

Courageux mais pas téméraire

Monsieur,

Jonathan me dit que vous l'avez encore engueuler. Ferez vous pareil si il mesurait 2 m et qui pesai 100 kg ?

En revoire.

❧

Il y a pire

Monsieur,

Je vous conseille aimablement de vous abonner au canard enchainé. Vous verrez alors que ce qu'a fait Jonathan n'est rien en comparaison d'autres personnes plus puissantes qui s'en sortent les mains propres. Pourquoi alors le punir ?

Salutations

❧

Relations sadomaso

Madame,

Vous m'avez l'air gentille, sensé, équilibré et soucieuse du développement de vos élèves. Vous n'êtes pas quelqu'un de sadique, j'en suis convaincu. Quel plaisir éprouvez-vous donc à systématiquement sanctionner Thibaud, même et surtout quand il ne fait rien ? En tout cas, lui n'est pas maso et déteste cela. Je vous demande donc de cesser vos pratiques d'un autre âge.

Je vous salut.

❧

Pingre

Madame,

Il me semble que, depuis Jules Ferry, l'école est gratuite, laïque et obligatoire. Avez-vous noté le mot gratuit ? Alors pourquoi demandez-vous d'acheter un livre ? Je suis libre de dépenser mon argent comme je le veux.

Salutations distinguées.

❧

Détail qui a son importance

Luc me précise qu'il a fait sa bagarre dans la cour et non dans le restaurant. J'ai remarqué depuis l'an dernier que mon fils a toujours Tort jamais raison, il est toujours l'agresseur jamais l'agressé. Conformément au règlement, je suis d'accord que vous appliquiez les mesures qui s'imposent en cas de récidive et souhaite par conséquent que mon fils bénéficie de la même indulgence au même titre que ses camarades.

❧

CQFD

Monsieur le directeur,

Madame Dupont* m'a dit vendredi soir que ma fille posait problème. Mais, vu qu'à la maison elle est adorable, je ne vois pas pourquoi elle ferait des bêtises à l'école. C'est donc bien madame Dupont qui pose problème et non Charlène. Merci de bien vouloir intervenir auprès d'elle.

Respectueusement,

Note de l'auteur : collègue professeure des écoles.

~~∞~~

Nerveux

Monsieur,
Maintenant sa sufi laché mon fils
ca comensse a bien faire.
C'est moi son père et ses mon problème.
Je préfère pas me déplassé car le juge ma di qui fallait plu que je ménerve.

IX. Les difficultés scolaires

Épuisement

Monsieur

Nous avons passer 1 h 30 à faire les devoirs à Magali avec beaucoup de difficultés.

Je vous prie de bien vouloir m'excusez mais elle n'a fait que la moitié de l'exercise et je l'ai faite arrêter ensuite car je pense que 1 h 30 c'est déjà beaucoup après l'école et pour ma part je n'y ai pas plus compris qu'elle.

Merci

⟞⟝

Erreur génétique

Monsieur,

Je suis sincèrement désolée et vous avoue mon incompréhension la plus totale : autant Adeline, que vous avez eu, était brillante car elle est aujourd'hui en 4ème, autant Mathieu a du mal.

Il n'est pourtant pas bête, je vous promet. On les élève de la même manière et ils ont chacun leur chambre. C'est donc un mystère pour mon mari et moi. Peut-être un problème de cromosomes ?

Je suis désolée pour vous.

❧

À défaut de grives…

Monsieur,

Au vu des résultats catastrophiques de Stéphanie, connaîtriez-vous un professeur de mathématiques, ou même un simple instituteur, qui accepterait de lui dispenser quelques cours ?

Je vous remercie d'avance.

❧

Incompréhension pédagogique

Monsieur,

Dans le cahier de lecture et d'expression écrite de ma fille, vous indiquez en haut de la photo-copie, je cite : « test de closure ».

Pouvez-vous m'informer sur la signification de ce terme ? par avance, je vous en remercie, et vous prie de croire, Monsieur, en l'assurance de mes sentiments les meilleurs.

❧

Drapeau blanc

Madame,

Laissez tombé pour Mike : moi même j'y arrive pas. Quand il fait sa tête de lard on ne peus rien tiré de sa caboche et sa démange les mains. Je vous autorise à le punir.

Signé : son père

PS : et encore bravo d'arrivée a pas vous énervez ! Respet !

❧

Abandon

Madame,

Veuillez m'excusée, mais je ne peus plus aidé Benjamin pour ces devoirs : c'est trop difficile. On est pas au lycé !

Sincères salutations

❧

Génie en devenir

Monsieur,

Veuillez ne pas trop accabler mon fils pour ses mauvaises notes. Einstein n'était-il pas lui-même un piètre élève ? Nul ne sait donc ce que lui réserve l'avenir…

Merci de votre compréhension.

❧

Méprise

Monsieur,

Vous me demandez de signé un papier de Projet Personnel de Réussite Educative. Mais moi, je n'ai pas envi de refaire des études! C'est a Cédric qui faut dire ça parce que il en fout pas une!

⸙

À quoi ça sert?

Monsieur,

Je vous demande de bien vouloir laissez mon fils tranquile quant il a des mauvaises notes. quant on voit le chomage actuel avec des gens qui sont pleins de diplomes, on se dit que il vaut autant mieux profité de leur jeunesse. Ne vous en faite pas pour lui, il fera comme son père plus tard, il se débrouyera.

Merci.

⸙

Interrogation métaphysique

Après les fêtes de fin d'année, Dorian a pris la bonne résolution de ne plus écouter en classe et de ne plus rien faire. Est-ce normal?

⸙

Le niveau monte

Monsieur,

Je suis désolée pour le devoir à Dimitri : je ni arrive pas. Il faut pas le grondé il ni est pour rien il travail et il fait des efforts je vous en supplis Monsieur. Et dire qu'on dit que le niveau baisse tous les ans ! Tous ceux qui disent ça ont qu'à retourné voir ce qui se passe à l'école et faire les devoirs à leurs enfants au lieu de resté dans les bureaux !

Bonne journée.

❧

Je vais craquer

Monsieur

J'aimerai vous voir au sujet d'Hélène. Pourriez-vous m'accorder un rendez-vous parce que vraiment je ne comprend rien a ses devoir et leçons.

❧

C'est celui qui dit qui y est

Madame,

Je vous l'accorde aisément : mon fils n'est pas forcément doué pour les études, bien qu'il soit un peu tôt, à mon avis, pour lui prédire une vie d'enfer, ce qu'apparemment vous faites avec une joie non dissimulée. Est-ce donc une raison pour l'abreuver de remarques désobligeantes et autres sarcasmes? Vous-même, aviez-vous le potentiel intellectuel pour faire polytechnique? Faites-vous appel à un centralien lorsque votre robinet fuit?

Salutations distinguées.

X. Les confidences personnelles

Cloche de bois

Je soussigné madame X... certifie retirée ma fille Judith de l'école a daté de vendredi soir.

PS : je vous fait confiance pour votre secret car personne nait au courant

Hérédité honteuse

Madame,

J'ai l'honneur de vous informer que mon fils sera absent jeudi et vendredi car il doit se faire opérer d'un endroit particulier que seuls les hommes possèdent. Mon mari ne vous a rien dit l'autre jour car le problème vient de son côté et il est un peu gêné d'en parler. Je vous remercie de ne pas le crier sur tous les toits et de ne pas signaler la cause de l'absence à monsieur le directeur.

Vous remerciant de votre discrétion, je vous prie d'accepter mes salutations les plus distinguées.

❦

Contraception

Madame,

Veuiller escusé mon fils qui en se moman na pa le tant de faire ses devoirs passque je suis encore enceinte passque mon ex mari est revenu me voire et sa na pas loupé pourtan sétait juste une fois. Du cou je vomi tout le tant et Franck pleure a la maison passque je cri et il doit socupé de ses frères et seurs mais moi je ne peus pas.

❦

Belle-mère

Monsieur,

Veuillez excuser l'attitude actuelle de ma fille et ses sautes d'humeur : elle vient de perdre sa grand-mère et n'a pas trop le moral car elle l'aimait beaucoup. Si vous souhaitez nous rencontrer, faites plutôt appel à moi car ma femme a du mal à s'en remettre. Je suis actuellement le seul de la famille à bien supporter ce coup dur.

Bien respectueusement,

❦

Énurésie nocturne

Monsieur,

Votre projet de classe de mer est très intéressant, mais se heurte à un problème de taille pour Antoine : il est encore incontinent. Avez-vous une solution pour que cette infirmité passagère reste cachée à ses camarades ?

Je vous remercie de votre compréhension.

❧

Entre femmes

Madame,

Comme vous l'avez sans doute remarquée, ma fille grandit et porte des soutiens gorges. A mon avis, d'un jour a l'autre, elle va avoir ses ragnagnas (je vous le dis parce que vous connaissez le problème). Je vous demande donc l'autorisation de la laissée allée aux toilettes pour faire se que l'on fait dans ce cas la.

Merci de votre compréhension de femme.

❧

Femme bafouée

Monsieur,

Si Pascal est un peu dérangé en ce moment, ce n'est pas sa faute. Mon mari a en effet eu l'outrecuidance de mettre mon honneur à mal, ce qui a des conséquences fâcheuses sur notre vie quotidienne. J'étudie donc les différentes possibilités avec mon avocat. Je vous tiendrai au courant.

Je suis sincèrement désolée et vous salue respectueusement.

∽

Problème de couple

Madame,

Je vous écrit ces quelques phrases en toute confidentialité (c'est pour ça que l'enveloppe était scotché) pour vous dire qu'en ce moment a la maison c'est chaud bouillant car mon mari est un monstre assoifé de sexe qui saute sur tout ce qui bouge. Notre fils en subit évidemment les conséquences et ne travaille plus en classe. Ne vous en faite pas, quand je l'aurai dégagé, il ira chez ses pétasses et tout ira mieux pour Yannn.

Merci de votre discrétion

∽

Cherche l'âme sœur

Madame,

Je vous remercie de tout ce que vous faites pour ma fille parce que depuis que ma femme est partie, j'ai un peu de mal à assurer à la maison.

Je souhaiterais vous exprimer ma gratitude en vous invitant au restaurant, un soir. Que pensez-vous de cette idée ?

Cordialement,

❦

Mensonges d'état

Monsieur,

Jordann va avoir 5 rendez-vous chez la psychologue au CMPP.

Nous n'avons pas eu le choix ni du jour ni de l'heure. Cela aura donc lieu le jeudi à la première heure de l'après-midi. Il doit être dans les locaux à 13 h 30 précis. Il a 10 minutes de trajet en vélo. Il faut donc qu'il sorte avant l'ouverture officielle des portes. Cela desespère Jordann de ne pas assister à la musique. Mais surtout, il ne souhaite pas que ses camarades sachent qu'il va en rendez-vous chez une psychologue.

Aussi, nous avons convenu d'inventer des rendez-vous chez le dentiste, l'orthodontiste, l'ophtalmo etc... J'en préviens bien sûr Madame Dupont.

Bien à vous,

XI. Les œuvres épistolaires

Besoin d'aide

Monsieur Pierre Routand,
Directeur d'établissement

La rumeur m'a appris qu'il y a peu de temps, dans votre établissement, un grave problème de discipline, allant jusqu'à un dépôt de plainte au commissariat, a vu le jour.

Si ce bruit s'avérait, j'aimerais que vous m'autorisiez, s'il l'agrée, à rencontrer l'institutrice ou l'instituteur concerné.

Ne retenez dans cette requête aucun voyeurisme. Il ne s'agit que d'une étude de travail au cas par cas et confidentielle sur le sujet de la sécurité dans les établissements scolaires.

Si vous l'acceptez, cette rencontre se fera en compagnie d'un élu local membre de la commission municipale concernée.

Je compte sur votre impartialité et sur votre haut sens professionnel et, dans l'attente, vous prie de croire, Monsieur le Directeur, en ma considération.

❦

L'inspecteur mène l'enquête

Monsieur,

Mon éducation et ma situation professionnelle font de moi un homme respectueux de la discipline.

Toutefois, aujourd'hui, je transgresse cette règle au sujet d'une punition infligée à mon fils Sylvain sur instructions, semble-t-il, de Monsieur Milot.

N'y voyez aucune rébellion, mais, si je considère la punition comme acte de stabilité psychologique chez l'enfant, j'attends de l'administrateur qu'elle soit proportionnelle à la faute commise.

A l'énoncé du verdict, Sylvain m'a semblé plus touché par sa disproportion que par la punition elle même, il semblerait également qu'elle n'est pas égale pour tous. Cela appelle en moi une question : Sylvain serait-il devenu un fauteur de trouble ?

Aussi aimerais-je que tous les éléments de cette affaire me soient communiqués, d'autant plus si les déclarations de mon fils s'avèrent sur le fait que Monsieur Milot lui aurait fait mettre en bouche, en cuisine, des feuilles de végétaux tombées à terre.

Afin d'éclaircir ce triste malentendu, il me serait fort agréable d'être confronté aux membres de l'établissement scolaire pouvant être mis en cause, à, savoir : Monsieur Milot et Madame Dalbert qui surveillait la cour de récréation au moment de l'événement. Je demande également votre présence à cette rencontre potentielle, vous qui connaissez bien Sylvain étant à même d'éclairer les intervenants sur sa personnalité.

Après avis de Monsieur Milot, je vous saurais gré de bien vouloir me donner acte de la décision qui sera prise pour faire suite à ma demande.

Dans l'attente, je vous prie de croire, Monsieur, en ma considération.

❧

Aide au travail

Monsieur,

Je vous prie de bien vouloir excuser l'absence de mon fils Serge à la classe des 18 et 19 courant.

Un problème familial peu grave mais néanmoins suffisamment important pour que nous y attachions une extrême attention nous à contraint à un déplacement en province éloignée.

Au sujet d'un éventuel besoin de rattrapage d'un retard d'étude, je vous saurais gré de bien vouloir remettre à Serge les éléments nécessaires à me charger de ce travail.

Je vous prie de croire, Monsieur, en ma considération.

❧

Ordre et contrordre

Monsieur,

Comme je vous ai demander la semaine passer de ne plus laisser Pauline aller au toilette lorsqu'elle était en classe.

Je vous prie de bien vouloir m'en excusez mais il y a un changement, car ce week-end j'ai été dans l'impossibilité de ne pas l'envoyer chez son père comme nous en avons parler. j'ai un doute qu'il soit responsable de ses problèmes d'urines, il se trouve que lorsqu'elle est rentré elle était mouiller. Alors si vous pouviez la laisser y aller lorsqu'elle le demande ceci m'éclairerai plus sur la situation.

Pauline n'a pas connaissance de cette lettre sinon elle pourrait en profiter.

Merci de votre compréhension.

※

Allô, Sigmund ?

Monsieur,

Je pense que le comportement de Maxime le premier jour de la rentrée est toujours difficile. Je sais qu'il a du mal à s'endormir et j'ai choisi de le coucher tard plutôt que de laisser son anxiété s'emplifier car il s'endort au bout de plusieurs heures.

Ce côté «j'm'en foutisme» que vous avez pu observer aujourd'hui est avant tout dû à de la fatigue.

Ce n'est effectivement pas normal, je ne l'excuse pas mais je peux l'expliquer et le comprendre. De plus Maxime est en pré-puberté ce qui change énormément son comportement. Je fais mon possible pour «redresser la barre», jouer le rôle de la mère et du père n'étant pas toujours évident.

Un bon point: je sais qu'il vous aime bien et qu'il vous respecte beaucoup.

Sentiments les meilleurs et tous mes vœux pour cette année qui vient juste de commencer.

❧

Le petit chaperon rouge

Bien reçu votre réponse à mon mot dans ce carnet de liaison du 9/10/09.

Oui excusez moi de m'être irrité avec excès que vous n'ayez pas laissé Jérémy se rendre à Triffouillis les oies comme nous l'avions prévu. Heureusement que des amis qui passaient par là aient pu ramener Jérémy de l'arrêt du bus à la maison en lui évitant les trois kilomètres à pied sur la petite route de campagne. Mais imaginez que, pris dans la tempête, il ait été attaqué par les loups! Bien sûr, votre responsabilité n'aurait pas été engagée mais nous aurions eu tout de même quelque raison de faire la gueule, non ?

Bizoux

le 3 XII 09

XII. Les menaces

Formation identique

Monsieur,

Vous sanctionez mon fils, très bien. Mais me prenez pas que pour un idiot : j'ai été à l'école tout comme vous. Je connais comment ça marche et je sais que vous êtes comme tous le monde vous avez un chef alors punissez un peu les autres.

Avec tout le respet que je vous doit quand même.

❧

Le bras long

Madame,

Etienne me jure sur sa tête qu'il n'a rien fait.

Je ne conteste pas le fait que vous soyez maîtresse des lieux dans votre classe. Mais vous savez qu'il est plus grave de condamner un innocent que de laisser un bavard en liberté.

Et ce que vous ne savez peut-être pas, c'est que moi aussi je travaille à l'éducation nationale…

J'espère donc que vous arrangerez rapidement l'affaire en levant cette punition injuste.

Cordialement,

∽

Hiérarchie

Monsieur,

J'ai un patron, mais vous aussi, et même plusieurs je crois savoir. Alors si vous vous acharnez sur Richard qui n'a rien fait, ça n'en restera pas là, croyez-le.

Salutations.

∽

Amitié hiérarchique

Madame,

Je vous remercie de m'informer que ma fille ne cesse, paraît-il, de bavarder en classe (alors qu'à la maison elle est quasiment muette, comme c'est bizarre).

Sans doute me remercierez-vous à votre tour lorsque je vous aurais informée que mon mari pratique la même activité culturelle que votre inspecteur.

Salutations distinguées.

∽

Pris sur le fait

Monsieur,

Je vous informe aimablement que je vous ai vu et entendu cette nuit. Rassurez vous, je suis muet comme une tombe, mais pensez-y à l'avenir avant de sanctionner mon fils...

❧

Différend historique

Monsieur,

Votre version concernant Robespierre le sanguinaire qui serait en fait doux comme un agneau est pour le moins étonnante de la part d'un professeur payé par l'état et soumis au devoir d'obéissance. Je serais curieux d'avoir l'opinion de votre ministre sur ces pratiques pédagogiques pour le moins contestables.

Je compte sur votre honnêteté intellectuelle pour rétablir la vérité conforme aux programmes que vous vous devez d'appliquer.

Salutations.

❧

J'vais l'dire à ma mère

Monsieur,

Imaginez un peu que les parents vous punisse comme vous vous punissez mes enfants? Et si on se plaignait de vous a l'inspectrice comme vous vous vous plaignez de mes enfants? Vous y avez pensé à sa? Et un poste loin d'ici et loin de nous, sa vous plairait?

Et je vous signale que je ne vous insulte pas alors vous pouvez pas porté plainte.

Au revoir cher monsieur

❧

Nouvelles technologies

Monsieur,

Vous jouez les petits caporaux (vous voyez, moi aussi je connais Napoléon) dans votre école en condamnant mon fils qui est innocent, mais sachez qu'il me suffit d'aller sur internet pour avoir les coordonnées de l'inspection!

A bientôt peut-être dans le bureau de votre inspecteur, il n'en tient qu'à vous!

❧

Au voleur!

Monsieur,

Je vous somme de rendre immédiatement le portable de Jules. La marge entre confiscation et vol est en effet trop étroite pour que vous preniez ce risque pour votre carrière…

Salutations distinguées.

❧

Raciste

Madame

J'ai bien vu que vous punisser souvant les gens de couleurs. Attention car je connait SOS raciste et le RAP*

Note de l'auteur : le père d'élève voulait sans doute parler de SOS racisme et du MRAP !

XIII. Les demandes diverses

Sportif

Monsieur,

Charles a malencontreusement jeté ses clés sur le toit du préau. Y aurait-il parmi l'équipe pédagogique un homme suffisamment fort et galant pour aller les récupérer ?

Je vous remercie de votre sollicitude.

Tous les moyens sont bons

Monsieur,

Ce mot est une ruse : c'est juste un prétexte pour que vous voyez Alexandra car en ce moment au collège elle file un très mauvais coton. Vu que quand vous l'avez eu elle ne bougeait pas et elle travaillait bien, j'ai pensé que vous pourriez la gronder et lui faire comprendre que dans la vie il faut travailler.

Je vous remercie de votre complicité et vous souhaite bonne continuation.

∽

Témoignage

Madame,

Pouvez-vous m'écrire que vous certifiez sur l'honneur que je suis une bonne mère parce que autrement ils vont me prendre Anissa au tribunal et si elle va avec son père se sera terible pour elle et pour moi et son frère !

Merci madame.

∽

Frais de garde

Madame,

Dimitri m'a dit que vous cherchez quelqu'un pour garder le hamster de la classe pour Noël. Ce service devra t'il être grâcieux ?

Sinon, nous acceptons.

∽

Lapsus orthographique révélateur

Monsieur,

J'ai parié avec mon mari que Louis XIV était mort de la gangrène. Quand pensez-vous ?

Merci de nous départager !

❧

Intermédiaire

Monsieur,

On par en vacances le 20 et on voudré pas que l'inspection nous embètes parce que on a déja ressu 2 lettres. Sa seré cool si vous les prévené pour nous. Merci.

❧

Crédule

Madame

Etait vraie que les eleves avaient droit de faire grève en date du 06/03 ?...

Merci.

❧

Plan drague

Monsieur,

J'ai l'honneur de vous demander qu'en septembre mon fils soit discrètement mis avec le fils de madame H…

Je vous remercie très sincèrement et vous souhaite d'excellentes vacances.

❦

Soupçonneux

Monsieur

Je souhaitrais vous rencontrer car j'ai l'impression que Nicolas me cache des devoirs et leçons

Salutations distinguées

❦

Cachottière

A monsieur Dupont

S'il vous plait, pourrais je savoir où Fatima fait ses devoirs à l'écrit ?

Avec mes salutations.

❦

Au voleur !

Monsieur.

en huit jours Sarah

à soi disant perdu 2 blousons le premier un coupe vent Bordeaux «CREEKS» et lundi le second une veste en jean's bleu ciel je n'ai rien dit la première fois mais là, c'est TROP c'est pourquoi je vous demanderai de la faire chercher correctement, et si rien n'était retrouvé que pourrai je faire car vous savez moi je ne les ai pas gratuitement les vêtements et là c'en est TROP.

Merci par avance

Salutations

❧

Exploitation sexuelle

Bonjour,

Le CMPP m'a proposé une rencontre avec la psychologue demain à 13 h 30.

De ce fait, Laura sera absente demain en début d'après-midi.

Il faudrait qu'elle soit sur le trottoir devant l'école à 13 h 15.

Avec mes remerciements,

❧

Il faut serrer la vis

Monsieur,
Cela fait 2 jours que Suzie soit disant oublie son cahier de poésie je vous demanderai de bien vouloir lui faire apprendre ce matin à la place d'aller en recréation car 2 jours de suite cela me parait bizarre.

Pourriez vous aussi vérifier que le soir elle rentre avec le travail demande.

Serait-il possible aussi de connaitre la conduite de Suzie en ce moment en classe car lors de son dernier livret la conduite était inadmissible.

Merci par avance
Salutations

Télévore

Madame la maîtresse
Il parait qu'a la cantine les surveillants obliges Joris a finir son assiette meme si c'est degueulasse!!! On est pas a Koh lanta quand meme!!! Pouvez vous faire jouée de votre autoritée SVP?

Merci d'avance vous etes gentille

On a déjà donné

Monsieur,

Je ne comprend pas pourquoi vous demandez 3 € alors que j'ai payé 15 € de coopérative. Veuillez m'expliquer.

⌘

À sec

Monsieur,

Pouvez-vous SVP m'appeler au 06 01 02 03 04 car je n'ai plus de crédits.

Merci.

XIV. Les parents au quotidien

Sévérité parentale

Monsieur,
J'ai déchiré une page sur le cahier du jour par ce n'était pas lisible.

⚜

J'assume

Madame,
J'avais pris ma responsabilité je dois m'acquitté. C'est ne pas par ce qu'Otman est le seul a n'avoir pas payé, alors que je vous aviez envoyé un message verbal à propos de ça.

⚜

Présentation

Bonjour.
Je suis la maman à Hajer. Je voudrais vous voir le jeudi
Merci

❧

Maladroite

Justine, elle a fait tomber son cahier de leçon dans l'évier
Merci de vôtre compréhension

❧

Fayot

Monsieur F.
Ci-joint en espèces 20 € pour la MAE et 15 € pour la coopérative.
Tout en vous souhaitant une très heureuse année en compagnie de vos élèves et de mon fils en particulier, Jean-Dionis G.
Recevez, Monsieur, mes très sincères salutations

❧

Petit frère, petit diable

Monsieur
Escuser moi pour le dessin du pan. Son petit frère lui à dechirer.
Merci d'avence.

❧

Fait accompli

Je vous ai mis un mot hier je n'ai pas eu de réponse en plus je me suis trompé sur l'heure du rendez-vous donc je considère avoir votre accord et je vous demande de bien vouloir laisser Julie quitter l'école à 15h au lieu de 15h30 (je m'en excuse encore)

En cas de désaccord de votre part je vous demande de me joindre au 01.60.01.02.03 avant midi si cela vous est possible.

Merci par avance. Salutations.

Bonnes vacances.

XV. Les remerciements

Étrennes

Monsieur

Nous tenons, ma femme et moi, à vous souhaitez un joyeux Noël et une bonne année. Veuillez
trouvé ci-joint un petit billet pour vos étrennes.

PS : si nous ne le fesons pas, c'est surement pas
votre ministre qui le fera !

❧

Pas rancunier

Monsieur,

Merci pour cette excellente année scolaire. On
vous avoue maintenant qu'à la rentrée Corentin
vous détestait mais en juin ça a été. Mais nous, les
parents, on vous a toujours aimé.

❧

Passage de justesse

Monsieur,
J'espère que Sandrine vous a remercié : elle ne méritait pas de passer, vous êtes trop gentil !

⁂

Condescendance

Monsieur,
Comme vous le savez, nous déménageons. Nous tenons, avant de partir, à vous remercier chaleureusement pour votre dévouement à la cause des enfants. Charlotte gardera un excellent souvenir de vous. Nous vous souhaitons très sincèrement de ne pas végéter trop longtemps dans cette école.
Bon courage et bonne chance pour la suite de votre carrière.
Avec nos respectueuses salutations.

⁂

Vive la méthode traditionnelle

Madame,
Nous vous remercions de votre travail et de votre gentillesse tout au long de cette année scolaire. Grâce à vous, Bertrand a bien progressé.

Continuez votre méthode : les ministres réforma-
teurs passent et les bons enseignants restent !...

❧

Un bienfait n'est jamais perdu

Monsieur,

Je vous remercie sincèrement d'être intervenu
pour que Pierre ne se fasse plus embêter dans la
cour. Si vous avez un problème, n'hésitez pas à me
contacter* : vous n'aurez pas affaire à un ingrat.

Bien respectueusement,

Note de l'auteur : le papa est policier municipal !

❧

Connaisseur

Monsieur le directeur,

Je m'adresse à vous car vous êtes la voix hiérar-
chique. Félicitez mademoiselle X… de ma part car
elle a été une instit vraiment super pour ma fille.
Et en plus elle est mignonne, se qui ne gate rien,
n'est-ce pas !

❧

Chauffard

Madame,

Je vous remercie très sincèrement d'avoir raccompagné Mickaël chez moi hier soir suite à un problème personnel. Une chose m'inquiète cependant : il ma dit que vous conduisez mal. Rassurez-vous, je ne l'ai pas cru.

En tout cas, merci beaucoup.

✺

Non vénal

Monsieur,

Je vous adresse mes plus chaleureux remerciements pour la classe de neige de Sébastien. Il est ravi de son séjour au ski. Je me rappelle, le jour du départ, quand vous aviez refusé le billet que je vous proposais pour prendre soin de lui.

Malgré cela, il m'a dit que tout s'était très bien passé et que vous avez été attentif à ses problèmes. Vous êtes quelqu'un d'intègre et je ne l'oublierai jamais.

Très sincèrement,

✺

Apprenti poète

Monsieur,

Après une année scolaire bien remplie, nos destins se séparent. Le bout de chemin que nous avons fait ensemble a été ensoleillé par votre sourire et semé de bonnes notes pour notre fille, ce qui nous a beaucoup réjouis. A l'heure de la séparation, les larmes que verse Tiffany sont aussi nombreuses que les gouttes de rosée un matin de juillet. Puissiez-vous faire encore longtemps fructifier les cerveaux des enfants que les parents vous confient!

Brillant avenir, en toute modestie

Monsieur,

Nous vous remercions chaleureusement pour, n'ayons pas peur des mots, la brillante année de François. Grâce à vous, il est parfaitement armé pour ses études secondaires.

S'il réussit Polytechnique ou l'ENA, une part de sa gloire rejaillira sur vous. Nous vous tiendrons au courant.

Bonnes vacances et meilleures salutations.

Problème de température

Monsieur,

Merci pour le pantalon que vous avez prêté à Lucille lautre jour. Maleureusement, il a pas suporté la machine a laver.

❦

Course familiale

Monsieur,

Merssi pour le passage en 6ème a Kevin. ces grace a vous que il va ratrapé son cousin qui redouble. merssi encor

❦

Sherlock Holmes

Monsieur,

Nous tenons à vous adresser nos plus chaleureux remerciements pour avoir retrouvé le voleur du portable de notre fille.

Ah! Si seulement la police était aussi efficace que vous!

Merci encore, et bon week-end à vous.

❦

Comme quoi!

Monsieur,

Je vous remercie pour l'attention que vous avez porté à mon fils et pour lui avoir fait découvrir que l'école pouvait être un lieu de bonheur et de plaisir.

Nouveaux Mots d'excuse

Les parents écrivent encore aux enseignants

I. Les retards

Si vous arrivez en retard, dites :
« C'est que je ne suis pas le premier venu ! »

Alphonse Allais, écrivain
et humoriste français, 1854-1905

Apôtre

Madame,

Vous me demandez le plus sérieusement du monde un mot pour le retard de Charlotte, premier retard de l'année je vous signale.

Bien que nous soyons dans une école laïque, je me permets de vous inviter à lire l'évangile de Saint Luc, chapitre 6, verset 41, sur la paille dans l'œil du voisin et la poutre dans son propre œil...

Avec tout le respect que je vous dois (et réciproquement),

On ne va pas chipoter

Monsieur,
J'excuse Freddy pour son retard de ce matin.
Vous savez, un quart d'heure, ça va ça vient !

❧

Home sweet home

Madame,
Je m'excuse pour le retard a Tatiana parce que
hier matin avec les gosses qui gueulaient et le
chien qui dégueulait c'était carrément le bordel a
la maison.

❧

À prendre ou à laisser

Madame,
Veuillez excuser mon fils de son retard d'hier
matin. Ayant passé sa nuit sur son jeu vidéo sans
que je le vois, il s'est endormi dans le bus, d'après
ce qu'il m'a dit. Je vous demande de le punir, mais
de valider tout de même ce mot de retard car de
toute façon mon fils n'en aura pas d'autres.
Cordialement.

❧

À la niche!

Monsieur,

Martin est en retard ce matin parce que son chien lui a échappé des mains. Il a couru après pendant une heure, même que c'est pour ça qu'il est en sueur. Je lui avais pourtant bien dit de ne pas le détacher!

Après l'heure, c'est plus l'heure

Monsieur,

Joël était en retard ce matin à cause de madame Dupont qui est psychorigide car elle ferme le portail pile à l'heure, même quand elle voit des élèves courir! Elle l'a fermé sur le nez de mon fils! Joël est donc rentré à la maison et je lui ai fait ce mot et ça a pris du temps. En plus, ça embête tout le monde, y compris vous vu que je suppose que c'est vous qui avez ouvert à Joël à cette heure-ci.

Il faut qu'elle se calme un peu et qu'elle respire un peu, cette dame, elle ne va pas vivre vieille!

Salutations respectueuses.

Forte dépression

Madame,
Excuse pour le retard a Brandon il ma dit qu'il avait le vent de face en marchant.
Merci madame.

❧

Sachons raison garder

Monsieur,
Mardi, Dylan s'est réveillé en retard, donc il est arrivé en retard à l'école. C'est aussi simple que cela, et c'est inutile d'en faire un drame.
Merci et cordialement,

❧

Champagne!

Madame,
Mon mari il peut pas toujours mais hier il a pu et c'etait super mais du cou on etait crevé et ce matin on c'est pas reveillé et c'est pour ça que Patricia elle etait en retard. Mais c'est pas sa faute.
Je m'escuse.

❧

Avant l'heure, c'est pas l'heure

Monsieur,

Ce matin, le car est passé à 7 h 43 alors que d'habitude, sur l'arrêt c'est marqué 7 h 45. Je vous le jure sur ce que j'ai de plus cher au monde à part mon fils. Alors pardon pour le retard à Killian s'il vous plait.

Merci d'avance.

❧

Logique implacable

Madame,

Sébastien est arrivé en retard pour raison personnelle, ce qui signifie bien que c'est personnel.

Cordialement,

❧

Télé-dépendance

Madame,

Mireille été en retard ce matin parce qu'elle avait pas fini de regardée son dessin animé. Mais c'était juste 5 mn.

Pardon et bonne journée.

❧

Matriarcat

Je soussigné, Pierre Durand, certifie avoir amené ma fille Lucille ce jour lundi 18 janvier en retard à l'école.

Mais surtout, ne dites rien à mon ex-femme sinon elle va me faire la peau.

Cordialement,

⌘

Esprit de synthèse

Monsieur,

Je résume notre lever de ce matin : bol de chocolat chaud renversé, panique, aquarium qui tombe, poisson rouge en apnée, cris, aboiements, pleurs, serpillère, et donc retard.

Désolée, avec toutes nos excuses.

⌘

Panne de GPS

Madame,

Veuillez excuser le retard de Thomas mais hier c'est mon mari qui l'a amené à l'école et il s'est perdu.

⌘

Greenwich attitude

Monsieur,

J'ai réglé la montre de Norbert sur l'horloge parlante. Vous pouvez y jeter un coup d'œil afin d'ajuster l'heure de votre sonnerie. Cela évitera de regrettables quiproquos concernant l'heure de fermeture de la grille et les « retards » de mon fils.

Je reste à votre entière disposition.

⤬

Enfant roi

Madame,

Je mescuse pour le retard a Donovan mais il voulé pas se levé se matin.

Merci et pardon. Vous pouvé le grondé c'est de sa faute. Moi jy suis pour rien je voulé qui il aye mais jai du mal il veut jamais obéire.

II. Les absences

*L'obligation scolaire ne devrait pas être comprise
comme imposant aux enfants d'aller à l'école,
mais comme imposant à leur entourage,
et en premier lieu à leur famille, de les aider
à bénéficier de son enseignement.*

Albert Jacquard, scientifique français, 1925-2013

Junon

Madame,

Veuillez excuser l'absence d'Emilie vendredi dernier. Dans un premier temps, nous avons cru à une crise d'appendicite et l'avons emmenée d'urgence à l'hôpital. En fait, ce n'était que ses premières règles, mais c'était très douloureux.

Enfin, Emilie est désormais une femme, et cela ne nous rajeunit pas!

Susceptible

Madame,

Tout vient à point à qui sait attendre : voici enfin le mot que vous attendiez tant au sujet de l'absence de Germain. Je vous l'aurais bien apporté mercredi ou samedi, mais vous ne travailliez pas.

Enfin, tout est arrangé maintenant, et la terre va pouvoir recommencer à tourner. Ouf ! Le mammouth de l'éducation nationale a failli imploser !

Je vous prie de croire, madame, en l'expression de mes plus respectueuses salutations.

❧

Mise à l'index

Absence de Bénédicte pour cause de mal au doigt.

Salutations distinguées.

❧

Mathophobe

Madame,

J'excuse ma fille pour son absence d'hier parce que il y avait controle de maths et c'est vrai qu'elle a mal au ventre quand il y a controle de maths.

❧

Au voleur!
(mot déposé dans la boîte aux lettres de l'école)

Monsieur,
Ma femme s'est sauvé en emportant ma fille. Je file chez la belle doche car elle doit y être. Je vous tiens au courant. Natacha sera ne sans doute pas à l'école demain.

Bye

❧

Promotion à ne manquer sous aucun prétexte

Madame,
Veuillez excuser l'absence de Théo la semaine dernière. Mais si vous connaissiez les prix à la montagne hors période scolaire et si vous pouviez le faire vous le feriez.

Je vous remercie de votre indulgence.

❧

Attaché aux libertés individuelles

Monsieur,
Mon fils sera pas la demain. Demandez pas pourquoi, ça vous regarde pas.

❧

Étourdie

Madame,
Joachim a été absent le vendredi des vacances car j'avais perdu la clé de la voiture.
Salutations.

❧

L'angoisse de la page blanche

Monsieur,
Je suis au courant de l'absence de mon enfant mais je ne trouve pas d'excuse à vous fournir. Que voulez-vous que j'y fasse ?
Cordiales salutations.

❧

Hou, la menteuse !

Madame,
Contrairement à ce que vous a dit Eléonore hier après-midi lorsque vous l'avez interrogée alors que je vous avais pourtant fait un mot, je vous confirme que j'étais bien réveillée hier matin mais que c'était ma fille qui était barbouillée de la veille.
Cordialement,

❧

Jacques de La Palice

Monsieur,
Mon fils Thibaud était absent ce jour parce qu'il n'était pas là.

❧

Ne manque pas d'air !

Bonjour,
Sonia est absente depuis jeudi 15 juin car elle fait de l'aérophagie. Son absence est donc bien justifiée. Merci de communiquer celà au professeur afin d'éviter des conclusions trop hâtives sur son absence.

❧

Fashion victim

Madame,
Karine n'était pas à l'école mardi pour cause de soldes car il fallait qu'elle essaye ses vêtements.
Comme je sais que vous me comprenez, je vous remercie et vous souhaite une bonne journée.

PS : Et je ne regrette pas mes achats !

❧

Athée pacifiste

Monsieur,

Morvan sera absent demain toute la journée pour raisons personnelles. Ca compensera pour tous les jours fériés pour cause de religion ou de glorification militaire que l'on nous impose et pour lesquels on ne nous demande pas notre avis.

Il serait d'ailleurs peut-être temps de supprimer tout ça et d'instaurer à la place un seul jour férié de « laïcité et fraternité entre les peuples »…

Merci de votre compréhension.

Mouton de Panurge

Monsieur,

Johann n'est pas venu ce matin parce qu'hier un de ses camarades que je refuse de dénoncer lui a dit que sa maîtresse était absente aujourd'hui.

J'en suis désolée et vous prie de le pardonner mais c'est de la faute de ce mauvais camarade qui fait des plaisanteries douteuses. Je règlerai cela ce soir avec ses parents.

Je vous remercie et vous prie d'agréer l'expression de mes sentiments distingués.

Transit intestinal difficile

Madame,

Xavier n'est pas venu en classe hier pour cause de diarrhée. Il en a mis partout : dans son pyjama, dans son lit, dans le couloir, dans les toilettes, etc. Je vous épargne les détails mais ça empestait dans tout l'appartement parce que c'était incrusté dans la moquette. Il valait donc mieux pour vous qu'il reste à la maison car il se serait souillé dans votre classe s'il était venu à l'école. Dans votre propre intérêt, j'ai donc décidé de le garder. Rassurez-vous, il va mieux maintenant. N'hésitez pas cependant à m'appeler si ça « déborde ».

Bien à vous,

❧

Sous le soleil des tropiques

Monsieur,

Théodore ratera les deux dernières semaines de classe. Nous partons en Martinique. Ca va nous faire du bien, surtout avec le mois de juin pluvieux qu'on a !

Merci d'accepter son absence et, surtout, bonnes vacances et bon courage pour la fin d'année !

❧

Boute-en-train

Monsieur,
François était absent à l'école vendredi car nous avons dû franchir la Loire, donc nous avons fait le pont!
Merci de votre diligence.

Peccadille

Madame,
Je préviens qu'à la fin de la semaine ma fille est très fatiguée alors on va pas quand même pas en faire toute une histoire qu'elle a manquée l'école un samedi. OK?

30 millions d'amis

Madame,
Veuillez excuser l'absence de David hier: il a eu la douleur de perdre son petit chat de trois mois et a absolument tenu à assister à la cérémonie d'enterrement que nous avons organisée.
Bien à vous,

Préparatifs

Madame,
Daniel était absent vendredi parce que sa tante et son oncle sont venus dormir à la maison samedi.
Cordialement,

❧

Cupidon

Madame,
Je me suis permise de garder Charles à la maison lundi car il avait une peine de cœur. C'est son premier chagrin d'amour et il était bouleversé, incapable de quoi que ce soit.
Je vous remercie de votre compréhension et vous prie de croire en l'expression de ma plus haute considération.

❧

Clair et concis

Monsieur,
Vous demandez pourquoi Jonathan été absent hier ? Je vous répond parce que.
Sa vous va comme sa ?

❧

Trop de sérieux tue le sérieux

Madame,

Justine a raté son contrôle de français ce matin parce que justement elle révisait son français à la maison.

Désolé pour vous mais ce n'est pas de sa faute. Merci.

❧

On a ga-gné!

Monsieur,

Samuel était absent ce matin pour cause de victoire aux élections. Youpi!!!!!!

Excellente journée, mais je n'en doute pas une seconde!!!!!

❧

Tout flatteur vit aux dépens de celui qui l'écoute

Madame,

Ghislain était absent hier. Je ne vous ai pas prévenue mais comme vous êtes compréhensive vous auriez dit oui alors ça revient au même.

Je vous en remercie donc postèrieurement.

❧

Propriété privée

Madame,
Vu que c'est moi la responsable de ma fille, je ne vois pas pourquoi je vous dirai pourquoi elle a été absente.
Mais ne vous en faite pas je le sais. Merci.

❧

Gourmet

Madame,
Hier midi on a mangé des frites et c'était long a mangé les frites alors Julien n'a pas pu venir à l'école après.
Merci.

❧

Obstinée

Madame,
Mireille a raté son car de 8h. Elle est rentrée à la maison pour que je lui fasse un mot. Mais comme j'étais partie faire des courses, elle m'a attendue devant la maison, trop longtemps puisqu'elle a raté son deuxième car, celui de 9 h 15. Après, le jeu n'en valait plus la chandelle et elle a attendu son père pour qu'il vous l'amène cet après midi, à l'heure cette fois ci. C'est pourquoi j'ai l'honneur de vous

demander de bien vouloir excuser son absence de ce matin.

Cordialement,

❧

Moteur hybride

Monsieur,
Veuillez excusez Virgil pour son absence de mardi. Il a été retenu dans le tram en panne d'essence.

❧

Camarade syndiqué

William n'est pas venu à l'école hier parce qu'il a fait grève. Chacun son tour.

❧

Victor Hugo

Ces quelques vers pour adoucir
Votre colère et vos soupirs
Ne criez pas, ça n'sert à rien
Ma fille ne s'ra pas là demain

❧

Débordée

Madame,
J'étais dans les cartons du déménagement alors je n'ai pas pu m'occuper de mon fils et il m'aidait. C'est la raison de son absence de mardi.

❧

Préparation au serre-tif

Monsieur,
Joachim a du emmener son frère au coiffeur. C'est la raison de son absence d'hier.
Meilleurs salutations.

III. Les blessés, les malades

*Les maladies que l'on cache
sont les plus difficiles à soigner.*

Proverbe chinois

Polyvalente

Madame,

Malade = certificat médical obligatoire, c'est plus facile à dire qu'à faire. Vous n'avez jamais entendu parler de la pénurie de médecins ? Et en plus, mon docteur était malade !

Alors c'est moi qui ai soigné Virginie la semaine dernière avec mes médicaments. Et ça a marché. La preuve, c'est qu'elle est devant vous sur ses deux pieds.

Salutations

Aïe!

Monsieur,

Boris n'est pas venu à l'école mardi car il a glissé sur la queue du chat. Il est tombé et il s'est fait griffer. Il nous a donc fallu aller chez le vétérinaire et le médecin.

Rien de grave cependant, ils sont redevenus amis.

Respectueusement vôtre,

❦

Mon œil!

Madame,

Kévin a un cocar mais cette fois c'est pas moi parce que j'avais rien bu. Il s'est bagaré au foot avec un autre. Alors prévenez pas la police SVP j'ai rien fait.

Merci.

❦

Maladie épistolaire

madame,

coralie a était absente pour cause de mots de georges

❦

Problème de cul bas

Madame,
Mélissa a été malade car elle a eu une castro.
Excusez la.
Cordialement,

⬥

Guerre bactériologique

Monsieur,
Veuillez excuser Tristan pour son absence de la semaine dernière mais il était malade vu que sa sœur l'a contaminé. Je n'ai pas voulu appeler le docteur pour ne pas le contaminer aussi.
Merci monsieur et bonne journée.

⬥

La totale

Monsieur,
Et voilà! Il restait plus que 3 jours de plâtre pour Alexis et il cavalait partout. Il a voulu dessendre les escaliers à cloche pied et il est tombé à cause que l'assenseur était en panne.
Résultat, il a maintenant les deux pieds dans le plâtre mais jeudi ça ira mieux parce que on va lui enlevé le 1er et il pourra retourné à l'école avec ses béquilles. Heureusement qu'on a acheté

les béquilles parce que comme ça on les amortit! Enfin maintenant on est tranquille il ne peut plus bougé il est cloué au lit.

Merci d'avance de donné les devoirs à Ronan. Alexis reviendra vendredi sauf si il se casse les mains!

Je vous salut respectueusement.

❧

En tout bien tout honneur

Monsieur,
Ma fille est restée à la maison mardi car lundi, en EPS, vous l'avez littéralement épuisée!
Merci.

❧

Problème de fond

Madame,
Victor doit impérativement porter sa minerve durant quinze jours car samedi à la piscine il s'est trompé en plongeant dans le petit bain car il croyait qu'il y avait assez d'eau.

Je suis désolée et lui aussi.

Cordialement,

❧

Prévention

Monsieur,
Je garde Alice à la maison car on m'a dit qu'il y a la grippe dans votre école
Bonne chance de ne pas l'attraper

❦

Gueule de bois

Mademoiselle,
Veuillez excusez l'absence de ma fille Bérénice lundi et mardi. Raison : rhum carabiné.

IV. Les requêtes diverses

La demande est chaude, le merci est froid.

Proverbe allemand

On ne mélange pas les torchons et les serviettes

Monsieur le directeur,

Je suis très déçue que ma fille ne soit pas avec ses copines de l'année dernière. De plus, il n'y a que des élèves en difficulté dans sa classe. Ca va être catastrophique pour son épanouissement intellectuel !

J'ai donc l'honneur de solliciter de votre bienveillance, à titre tout à fait exceptionnel, la possibilité de la changer de classe pour la remettre avec Marjorie Dupont, Hélène Durand et Thiphanie Duval.

Veuillez croire, monsieur le directeur, en l'expression de ma plus haute considération.

Pas soigneux

SVP madame, c'est possible que Victor il reste en classe à la récré parce que il a un nouveau jean et il en a besoin demain.

Merci beaucoup madame.

⤜⤏

Journaliste d'investigation

Monsieur,
Sans indiscrétion, est-ce vrai ce qu'on raconte au sujet de la maîtresse des CE1B, comme quoi elle va divorcer ?

Merci et excusez-moi pour ma curiosité qui est bienveillante, rassurez-vous.

⤜⤏

Ça défrise !

Mademoiselle,
Anatole a été au coiffeur. De ce fait il ne doit pas mouiller ses cheveux durant deux jours.

Je le dispense donc de piscine.

Respectueusement

⤜⤏

Chut!

Monsieur,

SVP pouvez-vous dire aux élèves de faire moins de bruit dans la cour de récréation? Car leurs cris résonnent sur les bâtiments et j'ai actuellement ma vieille mère à la maison et j'ai peur qu'elle fasse une crise cardiaque.

Avec mes remerciements anticipés,

❧

Le monde à l'envers

Monsieur,

Merci de bien vouloir signer la punition que j'ai donnée à ma fille. Vous pouvez la doubler si vous voulez: elle est insupportable à la maison.

❧

Astrologue

Monsieur,

Pouvez-vous SVP faire attention à ma fille aujourd'hui parce que ce matin j'ai entendu son horoscope et ça ne présage rien de bon.

Merci beaucoup.

❧

Ruminant

Madame,

Hier, Raphaël est rentré de l'école avec un chwim gum dans la bouche. Il ma dit qui la trouvé par terre dans la cour.

Merci de nettoiyée la cour parce que c'est dégueulasse.

❧

Machin, t'es foutu, les parents sont dans la rue!

Monsieur le directeur,

Acceptez-vous de distribuer des tracts à l'école si on fait une pétition contre la mairie?

Merci d'avance.

❧

C'est beau d'avoir des relations!

Madame,

Si c'est vrai ce que les gens racontent au sujet de votre proximité avec le maire, pouvez-vous lui dire que devant chez moi il y a un nid de poule depuis des mois et que ses services ne font rien?

Cordialement et avec tous mes remerciements.

❧

Règlement de comptes à OK Corral

Monsieur,

A la sortie de l'école, est-ce-qu'on a le droit de donner une gifle à un élève qui embête son fils?

Car c'est de la légitime défense!

~

Face je gagne, pile tu perds

Madame,

Si nous on veut que Mickaël il passe et que vous vous voulez que il redouble comment il faut faire pour que il passe quand même?

Merci d'avance de votre réponse positive.

~

Vivent les mariés!

Monsieur le directeur,

J'ai l'honneur de vous demander d'utiliser la cantine pour le mariage à mon neveu le samedi 12 juin.

Je m'engage à rendre le lieu dans l'état de propreté ou je l'ai trouvé.

Je vous remercie par avance et vous prie de croire en mes sentiments les meilleurs.

~

La vengeance est un plat qui se mange froid

Monsieur,

On a pas été correct avec vous l'année dernière ou quoi? Alors pourquoi vous avez mis Johnny chez madame Dupont*?

Note de l'auteur : une collègue.

❧

Un seul être vous manque et tout est dépeuplé

Monsieur,

Mon fils Yannick ne sera pas là demain pour d'impérieuses raisons personnelles. Vous serait-il possible de décaler le passage du photographe scolaire à une date ultérieure?

Je vous remercie de l'intérêt que vous porterez à ma requête et vous prie de croire en mes sentiments les plus distingués.

❧

À l'impossible nul n'est tenu

Monsieur,

Dans la mesure où nous avons tout subi ces dernières années, serait-il possible à la rentrée prochaine d'avoir pour notre fille un professeur aimable, sérieux et ponctuel, ni stagiaire, ni enceinte, ni de santé fragile et ni militant syndical ?

Avec tous nos remerciements pour l'examen favorable de cette demande.

❧

Tragédie grecque

Monsieur le Directeur,

N'avez-vous vraiment pas votre mot à dire à l'inspection concernant les remplaçants de Madame Dupont*? J'ai en effet la nette impression que nous sommes tombés de Charybde en Sylla !

Je souhaite bon courage aux élèves, à vous-même, aux autres professeurs… et à nous aussi.

Note de l'auteur : une collègue.

❧

Honnête proposition

Monsieur,

Nous serons très heureux ma femme et moi si vous acceptez d'être le parrain du futur petit frère à Marjorie.

Sentiments distingués.

❧

La fourmi n'est pas prêteuse

Mademoiselle,

Je vous prie dorénavant de me convoquer moi, la responsable légale, si vous avez des choses à dire au sujet de la scolarité de Mélanie. Pour le reste, vous pouvez vous abstenir de nous adresser la parole, y compris à mon compagnon. Merci.

Respectueusement malgré tout,

Comme au bon vieux temps

Madame,

Puisque mon fils a un plâtre au bras droit, j'ai eu une idée. Ai-je le droit d'aller en classe avec lui pour lui recopier ses leçons ? Je m'engage à être comme une petite souris.

Dans l'attente, je vous présente mes salutations les plus respectueuses.

V. Les évaluations

C'est l'évaluation qui fait des trésors
et des joyaux de toutes choses évaluées.

Friedrich Nietzsche, philosophe
allemand, 1844-1900

Johnny be cool

Madame,

Il ne me semble pas indispensable de dramatiser à ce point lorsque les élèves ont un DS*. Résultat, Gaëtan n'a plus d'appétit, il ne trouve pas le sommeil, et donc rate le DS. J'espère que ce n'est pas votre objectif…

Cordialement,

Note de l'auteur : devoir surveillé.

❦

Stressée

Madame,

Ma fille s'est oubliée dans sa culotte à cause de la pression que vous lui avez mise pour les contrôles. On va voir quand vous serez inspectée si vous n'aurez pas peur, vous aussi! Sauf que le midi, vous n'aurez pas votre mère pour vous changer!

Salutations.

Docteur ès arts

Madame,

Franchement que Yannick est D en musique on sans fout. Il sera jamais un Picasso et alors?

L'arroseur arrosé

Monsieur,

Vous avez mis non acquis à Angélique et elle avait des bonnes réponses. Et bien moi comme prof je vous met 3 sur 20 et encore!

Au revoir.

Il n'y a pas de sot métier

Madame,

Vos commentaires concernant le livret de Geoffrey me semblent exagérés, voire méprisants. Gardez-vous de tirer des conclusions trop hâtives concernant ses résultats qui, contrairement à ce que vous lui dites, n'hypothèquent en rien son avenir. Je vous trouve bien sûre de vous. Vous n'êtes jamais qu'un professeur de primaire, que je sache. Je ne pense donc pas que vous possédiez la science universelle.

Salutations distinguées.

❧

Ni échangé, ni remboursé

Madame,

J'ai l'honneur de vous demander de bien vouloir être indulgente avec Cédric pour son livret. Son père et moi lui avions en effet promis qu'il n'aurait pas de Noël en cas de mauvais résultats, mais nous avons déjà acheté la plupart des cadeaux. Cela nous permettrait de ne pas perdre la face.

Avec nos remerciements anticipés, recevez, Madame, l'expression de nos sentiments distingués.

❧

Le chat n'est plus là, les souris veulent danser

Madame,

Est-ce que maintenant que le gouvernement a changé vous êtes encore obligée de faire les évaluations?

Personnellement, ça ne me dérange pas si vous abandonnez cette idée pour le moins saugrenue.

Merci d'avance.

⁂

Jalouse

Monsieur,

Pouvez-vous me dire pourquoi Barbara a eu seulement 19 en note de vie scolaire alors que sa voisine a eu 20?

Ce n'est pas de la curiosité, ni pour protester, c'est juste pour savoir.

Merci.

⁂

Jeu de mots laid

Monsieur,

Lorsque vous parlez de «compétences» et de «compétent», vous l'écrivez en un seul mot?

Excusez mon mouvement d'humeur et ma blague un peu vaseuse, mais je suis en colère après les directives ministérielles car on ni comprend strictement rien.

Je vous salue toujours respectueusement bien sûr.

✦

Trop sévère

Madame,

Comment voulez-vous que Dorothée fasse des progrès en mathématiques si dès la première évaluation vous lui mettez une mauvaise note ?

Ayez un peu pitié de ceux pour qui ce n'est pas inné !

Salutations.

✦

Donnant-donnant

Madame,

Sur le dernier devoir de Rodolphe, vous avez écrit : « Fait attention à la présentation ».

Je vous suggère en échange de faire attention à votre orthographe.

Avec mes respectueuses salutations.

✦

Sens des priorités

Madame,

Y a-t-il une épreuve de dessin aux concours d'entrée dans les grandes écoles ? Non ! Alors de grâce, n'accordez à cette « discipline » que l'importance qu'elle doit avoir !

Avec mes remerciements.

⸙

Mal fagoté

Madame,

Je constate en lisant le livret de Laurent qu'il vous est apparemment plus facile de casser de l'élève que de casser du petit bois.

VI. Le restaurant scolaire

Qu'un potage soit immangeable,
cela ne tient parfois qu'à un cheveu.

Jules Romains, écrivain français, 1885-1972

Diététicienne

Monsieur,

De quel droit les surveillants de cantine obligent-ils mon fils à terminer son assiette? Ont-ils des connaissances en matière d'équilibre alimentaire telles qu'ils savent mieux que lui la quantité de nourriture qu'il doit ingérer? Satiété ne signifie pas se goinfrer! Et qu'ils ne viennent pas argumenter avec les poncifs habituels concernant la faim dans le monde…

Je vous remercie de bien vouloir réfréner leurs abus d'autorité.

Respectueusement,

❦

4 août 1789 : abolition des privilèges

Monsieur,
Oblige-t-on les professeurs de votre école à manger à ce que la mairie appelle pompeusement le self ?
Ca m'étonnerait fort, au vu de la qualité des repas que l'on sert aux enfants.
A moins que les adultes aient des plats spéciaux, car on attire pas les mouches avec du vinaigre.

❧

Ingérence alimentaire

Madame,
Les surveillants de la cantine ont forcé Grégory à manger son entrée. De quoi ils se mêlent, ceux-la ?

❧

Ogresse

Madame,
Chaque soir, Olga dévore son goûter car elle ne mange rien à la cantine. Et nous, on paye pour-quoi ? Vous trouvez ça normal ? Et vous, vous y mangez ?

❧

Service compris

Monsieur,

Dois-je payer un supplément pour complément protéinique ou la limace que mon fils a trouvée dans sa salade est-elle comprise dans le prix du repas ?

Je vous présente mes délicieuses salutations distinguées.

～

Patates fayots

Monsieur,

Je lis les menus de la semaine du 12 au 16 février : lundi féculent, mardi féculent et vendredi féculent.

Si le traiteur paye une diététicienne, il se fait arnaquer !

～

Repas équilibré

Madame,

A la tele y dises qui y a trop d'obaises mais Lahcen quand y a des epinars y mange que du pain. Alors un ?

～

À sec

Monsieur,

En rentrant de l'école, Jolan m'a dit qu'il avait cassé un verre à la cantine et qu'on ne lui en avait pas donné d'autre.

Vous savez très bien que l'eau est indispensable au développement de la vie sur terre et au bon fonctionnement de l'organisme de l'être humain. J'espère pour vous que les reins de mon fils ne se sont pas atrophiés.

En tout cas, c'est la dernière fois que cela se produit.

Avec mes respectueuses salutations.

❧

Quadrature du cercle

Monsieur,

Vos menus, c'est comme les publicités, il faut voir ce que ça donne en vrai, une fois dans l'assiette. Croyez-moi, on goûte la différence. Il n'y aurait pas moyen que ce soit meilleur ?

Mais sans augmenter le prix, parce que c'est déjà assez cher comme ça.

Salutations distinguées.

❧

Précision lexicale

Monsieur,

Notre fils nous a dit que l'eau des brocs de la cantine était «chtouilleuse», pour reprendre l'expression de ses camarades, mais il n'a pas su nous donner plus d'explications.

Pouvez-vous nous éclairer sur ce sujet? Merci.

Cordialement,

VII. Les autres élèves, ces voyous

*Une école où les écoliers feraient
la loi serait une triste école.*

Ernest Renan, écrivain français, 1823-1892

Faut pas la graisser

Madame

La prochaine fois que le dénommé Pierre Durand se moquera de la surcharge pondérable de notre famille, et notamment de celle de ma fille Laëtitia, je viendrai en personne à l'école lui prouver que ce n'est pas que de la graisse.

Je compte sur vous pour tancer cet individu et lui faire comprendre qu'il vaudrait mieux pour lui trouver une autre victime et vous en remercie par avance.

Cordialement,

Rime pauvre

Madame,
Je vous signale que des garçons de la classe appellent mon fils «José pue des pieds». Merci de leur dire que la sudation est un phénomène naturel.
Salutations les plus respectueuses.

Muppet Show

Monsieur,
Avec votre remplaçante, à chaque fois que des garçons passent à côté de Peggy, ils font des bruits de cochons.
Pouvez-vous en parlez à cette dame SVP?
Merci à vous.

Ma Dalton

madame,
si on brossait au savon de marseille la bouche de tous ceux qui disent des gros mots et insultent ma fille, ça sentirait bon dans votre classe!
merci de m'avoir lu et au revoir

Haute-couture

Monsieur,

Je vous prie d'avoir l'amabilité de bien vouloir apprendre au Kévin de votre classe que le rose n'est pas une « couleur de tantouse », comme il l'a seriné toute la journée à Edouard, mais que c'est au contraire une couleur très tendance ce printemps pour les garçons.

Je vous prie de croire, Monsieur, en l'expression de ma plus haute considération.

❧

Le disciple a dépassé le maître

Madame,

J'ai le regret de vous informer que vous n'êtes plus la seule pédagogue de la classe, et que vous êtes moins efficace pour transmettre votre savoir qu'un de vos élèves, à savoir Jules Durand. Depuis le début de l'année, grâce à ce camarade aimable et prévenant, mon fils a en effet bien enrichi son vocabulaire en termes de grossièretés.

Les meilleures choses ayant une fin, j'aimerais que vous mettiez un terme à la vocation professorale de ce triste individu.

Avec tous mes remerciements,

❧

Dealer en culotte courte

Madame,

Mon fils m'a dit qu'un camarade lui a proposé de la drogue pendant la classe. Au CP, c'est un peu tôt je crois mais de nos jours on ne sait jamais alors je vous préviens quand même pour faire cesser ce trafic. Mieux vaut couper le mal à la racine.

Merci de résoudre ce problème.

❧

Star Wars

Monsieur,

Depuis que Théophile a ses problèmes de sinus, ses camarades n'ont rien trouvé de mieux que de le surnommer Dark Vador. Merci de faire cesser ces moqueries.

Je vous remercie de votre intervention.

Cordialement,

❧

Discours de la méthode

Madame,

C'était à prévoir. Le Salim dont vous vous portiez pourtant garante a recommencé. Il a traité mon fils et moi par ricochet (fils de p…). Que comptez-vous faire cette fois-ci ? Sévir de manière aussi efficace que la semaine dernière en lui disant : «Ce n'est pas bien mon petit chéri, il ne faut pas recommencer sinon je te ferai à nouveau une remarque» ou passer à des punitions plus sérieuses ?

❧

Influence télévisuelle

Madame,

La prochaine fois que Bilal il emmerde ma fille, j'ecris a l'academy.

❧

De mauvais poil

Monsieur,

Hier soir, un de vos élèves m'a insultée à la sortie de l'école et s'est sauvé en courant. Je vous remercie de bien vouloir lui faire la morale, puisque ses parents ne s'en chargent pas.

Vu la taille, ce doit être un CM2. Il est brun avec des lunettes, il portait un jean et un blouson noir, il avait un sac rouge et noir et quand il grimaçait il avait une tête de bouledogue.

Respectueusement,

❧

P... de m...

Merci que Ronnie et Mike y sarrête d'emmerdé mon fils sinon sa va chié.

Merci madame.

❧

Vengeance!

Madame,

Hier des petites têtes à claque ont baissées le pantalon à Justine et elle a pleurée parce que ils ont vus sa culotte qui était pas propre parce que j'avais pas eu le temps de faire une machine alors elle a eu la honte.

Je vous fais confiance pour les punir sévèrement comme ils le méritent parce que ils aimeraient pas qu'on leurs en fasse autant.

Merci beaucoup.

❧

Excré(me)ment mal élevé

Madame,

Combien de temps encore allez-vous laisser les autres se moquer de la tache de naissance de mon fils en lui disant qu'il a une tache de merde sur la joue?

C'est le dernier avertissement avant que je ne prenne les choses en mains.

Trop de laxisme tue le laxisme.

Veuillez croire cependant en mes sentiments les plus respectueux.

⸎

Cafteuse

Monsieur,

Cela fait déjà deux fois depuis le début de l'année que ma fille se fait embêter par des élèves que vous n'arrivez visiblement pas à maîtriser. Je ne vous prends pas en traître : à la troisième, j'écrirai à votre inspecteur.

Salutations distinguées.

⸎

Schtroumpfette

Monsieur,

Est-ce normal que dans votre école des élèves sains de corps et d'esprit donnent à ma fille des sucettes qui rendent la langue toute bleue ? Connaissez-vous la composition de cette friandise ? Est-ce toléré dans votre établissement ? Est-ce inoffensif ? Etes-vous au courant ? Cautionnez-vous de telles pratiques ?

Merci de la célérité de votre réponse.

⸎

Explication de texte

Madame,

Auriez-vous s'il vous plaît l'obligeance de donner au petit mais néanmoins déjà célèbre Tanguy quelques leçons d'éducation sexuelle ? Il a en effet dit hier à ma fille, je cite in extenso :

« Ta mère, c'est un pédé ».

J'accepte néanmoins par avance ses excuses.

✻

Petit à petit, l'oiseau fait son nid

Madame,

Un bonnet, une paire de gants, un manteau et maintenant la paire de tennis dans le sac de sport. A mon avis, quelqu'un se constitue une garde-robe aux dépens de ma fille.

Pouvez-vous dire au voleur que nous donnons déjà à l'armée du salut ?

Cordialement,

✻

Mais que fait la police ?

Monsieur,

Vous savez ce qui se passe en récréation ? Pendant que vos maîtresses boivent leur café sous le préau, mon fils se fait tabasser par des individus peu recommandables.

Je vous demande d'intervenir, sinon je porterai plainte pour non-assistance à mon fils en danger.

Avec mon respect, mais en colère.

❧

Chat!

Madame,

Apparemment, vos élèves ont inventé un nouveau jeu avec ma fille dont ils sont très fiers : touche pipi. Moi, ça ne me fait pas rire.

Merci d'intervenir dans les plus brefs délais.

Cordialement,

❧

Tour de Babel

Monsieur,

Je vous préviens que si les autres continuent a traité Paulo de portos, je vais lui en apprendre des vertes et des pas murs. Et vu toutes les couleurs qu'il y a dans votre école, il va avoir du travail pour tout retenir.

Merci d'avance de faire cessé ces insultes racistes.

Salutations distinguées.

❧

Shocking

Madame,

Hier soir, alors que je réprimandais mon fils, ce dernier m'a fièrement répondu «Tu me broutes les miches», expression qu'il a entendue dans votre école m'a-t'il dit.

A qui plus précisément dois-je adresser mes remerciements pour la nouvelle étendue de son champ lexical?

VIII. Arrêtez d'embêter mon chouchou d'amour !

Les enfants d'une mère sont comme les rêves.
Aucun n'est aussi merveilleux que les siens.

Proverbe chinois

Tout(tou) propre

Monsieur,

Princesse est une petite chienne qui ne fait ses besoins que dans le caniveau, comme nous le lui avons appris. La remarque que vous avez formulée à ma fille est donc totalement déplacée et inopportune. Allez plutôt voir du côté des propriétaires de chiens mal élevés si vous voulez que l'entrée de votre école reste vierge de toute déjection canine.

Veuillez croire, Monsieur, en mes sentiments distingués.

❧

Pas compétent

Monsieur,
Moi, je n'ai pas choisi d'être professeur. C'est donc à vous de trouver les arguments nécessaires pour que Germain fasse ses devoirs.
Merci et bonne chance.

❧

Trissotin

Monsieur,
Vous avez sans doute un charisme indéniable, mais un peu de modestie de votre part nous conviendrait assez, surtout si vous vous en prenez à d'autres qu'à Gwenaël.
Sentiments distingués.

❧

Mauvaise conscience

Madame,
Merci de pardonée à ma fille mais c'est dure pour elle. C'est gentille d'acceptée mes excuses.
Au revoir, merci et pardon encore.
Merci et bone journée.

❧

Grandes eaux

Monsieur,

Les toilettes de votre école puent la pisse ! Ne vous étonnez pas après si ma fille fait sur elle en classe !

In cauda venenum

Monsieur,

Veuillez trouver ci-dessous le lien vous permettant d'aller directement lire sur internet le contenu de la loi sur la diffamation et le harcèlement moral.

Espérant que désormais vous laisserez mon fils tranquille, je vous prie de croire, Monsieur, en mes sentiments distingués.

Des idées sur tout, surtout des idées

Madame,

Vous devez manquer d'imagination puisque cela fait deux fois que vous donnez le même verbe à conjuguer à Ludovic. Voulez-vous que je vous donne des idées de punitions ?

Salutations respectueuses.

Cartésien

Madame,
Pour moi c'est simple : punition injuste signifie pas de punition.
Un point c'est tout.

∾

En toute modestie

Monsieur,
Nous avons fait tester notre fils et si vous connaissiez son QI vous tomberiez en dépression. Alors cessez vos remarques à son encontre s'il vous plaît.
Cordialement,

∾

Vivent les vacances !

Monsieur,
Vous avez dit à mon fils qu'il venait en classe en touriste. Mais vous, de votre côté, n'avez-vous pas l'impression de jouer au GO* ?

Note de l'auteur : gentil organisateur, animateur au Club Med.

∾

Bon à savoir

Madame,

Maintenant que vous avez puni Sylvain alors qu'il n'a rien fait je vous informe que ma belle sœur travaille à l'inspection académique, au même étage que votre inspecteur, si vous voyez ce que je veux dire…

The Voice

Madame,

Vous dites a ma fille quelle chante faut mais vous croyez qu'a la télé y chante tous justes?

Au revoire madame.

Record en vue

Madame,

3 semaines de classe seulement et déjà 3 punitions pour mon fils. Vous comptez garder le même rythme toute l'année scolaire?

Salutations

Aux grands maux les grands remèdes

Madame,

Et si je disais au ministre que vous en avez toujours après ma fille, ça vous ferait quoi ?

❧

Rodin

Monsieur,

J'ai ma liberté de pensée. Et je pense que vous avez tort de toujours punir mon fils. Même quand il a rien fait. Voilà.

Alors arrêtez SVP.

Cordialement mais quand même.

❧

Vache de prof

Madame,

Mardi, quand vous avez grondé Noémie, elle a laché une perle et même plus et elle a eu la merde au cul toute la journée et le soir ça fesait comme une bouse sur le cul d'une vache. SVP il faut plus crié elle sera sage promis.

Merci madame.

❧

Les paris sont ouverts

Madame,

Je note encore une punition injustifiée pour Tristan.

On va voir qui va se lasser le premier : lui de vos punitions injustes ou vous de ses bêtises imaginaires.

Mais maintenant c'est moi qui vais décider s'il les fera ou pas.

A bientôt.

❦

Exaltée

Madame,

Je vous demanderais un peu plus de modération dans vos commentaires correctifs.

Merci de votre compréhension.

❦

Délit de faciès

Madame,

C'est pas parce que Baptiste il est de nationalité noir qu'il faut le punir.

Merci.

❦

Autodéfense

Madame,

Merci de rendre le couteau à Sébastien. C'est moi qui lui a donné pour se défendre parce que le soir dehors c'est chaud alors je sais qu'il a un couteau dans son sac et c'est pas vous qui habitez ou on habite.

Au revoir.

Acharnement

Et pourquoi c'est toujours mon fils qui est puni ? Et les autres alors ?

Chacun son tour un peu !

Freud

Monsieur,

Le docteur psy il a dit que c'etait de ma faute si Virgil il foutait rien en classe.

Vous voyez que sa sert a rien de le grondé. C'est pas de sa faute. Et moi je suis trop grande pour etre grondé.

S'il vous plait monsieur ?

Axiome

Madame,

Est-ce Francis qui a jeté des boulettes de papier dans votre classe? Non! Alors expliquez-moi pourquoi vous lui demandez de les ramasser? C'est aux coupables de le faire, et uniquement à eux.

CQFD.

C'est ce qu'on appelle le principe du pollueur-payeur.

Salutations.

❧

Quoi coâ?

Madame,

Ma fille est pas une grenouille alors je vois pas pourquoi vous l'obligez a nagée.

En plus elle a bue la tasse et y en a qui font pipi dans l'eau.

Au revoir madame

❧

Poule mouillée

Madame,

Vous dites que la piscine est obligatoire mais vous, vous ne vous baignez pas et vous ne vous mettez même pas en maillot de bain. Sauf que moi, je sais pourquoi, c'est parce que vous êtes en surpoids comme Coralie et moi.

Alors laissez ma fille tranquille.

Salutations distinguées.

❧

Contre-révolutionnaire

Et voilà, une fois de plus, c'est Jordan qui prend !

Décidément, Monsieur, permettez-moi d'écrire, malgré tout le respect que je vous dois, et toutes proportions gardées, que vous êtes le Staline des CM2 !

A quand le goulag pour mon fils ?

Respectueusement à vous.

❧

Sadique

Madame,

Sa vous fait plésir de punir mon fils ? Ou bien quoi ?

Au revoir

IX. Les pédagogues

Il n'y a pas de pédagogie, il n'y a que des pédagogues.
Daniel Pennac, écrivain français, né en 1944

C'est bien plus beau lorsque c'est inutile

Monsieur,

Esque vous pouvez me dire a quoi esque sa sert que Kevin il apprend sa lecon si vous l'intérogez pas ?

❦

À l'ancienne

Madame,

Vous laissez pas vous marchez sur les pieds par mon fils qu'est un sacré. Il faut le punir de récré et le maitre au coin et lui en maitre une.

❦

Hérédité

Madame,
Je donne mon accor pour le soutien a Dorothée.
Moi aussi a son age j'avais du mal et il faut quelle
travail.

⌘

Jugement définitif

Madame,
Sachez que je ne valide pas vos méthodes pédagogiques. Cependant je vous rassure : dans l'intérêt de ma fille, je ne lui ai rien dit.
Je vous adresse mes salutations distinguées.

⌘

jM pa lè SMS Kr J konpran ri1

Monsieur,
Les smileys que vous mettez à mon fils, c'est du
chinois pour moi. C'est pas possible de mettre des
notes plutôt ? Comme ça les parents comprendront
si leur enfant a de bonnes notes ou pas ! C'est plus
simple, non ?
Merci de me faire plaisir.

⌘

Il ne faut compter que sur soi-même

Monsieur,
Vous demandez une calculatrice à mon fils. Mais moi je veux qu'il apprenne à compter tout seul. On n'est qu'à l'école primaire. Halte au diktat de la technologie!

❧

Les boules! Ça craint! Ça l'fait pas!

Madame,
Je suis daccord avec vous. C'est vraiment les glandes que Barbara elle arrive pas à apprendre 3 lignes!!!

❧

Et pour le papier? Et pour l'encre?

Madame,
Certes, mon enfant s'est un peu inspiré sur internet pour son devoir. Mais de là à lui mettre zéro! Vous pourriez au moins récompenser le temps et les efforts passés à effectuer les recherches!
Merci de revoir ça.

❧

Évaluation formative

Madame,

Est ce que vous pensez a nous quand vous notez sans mettre de note ? C'est pas claire du tout, votre histoire ! Et comment on fait pour savoir si on doit gronder notre enfant ou pas ?

Pouvez-vous nous expliquer SVP ? Merci et excusez moi.

∞

13ᵉ mois

Madame,

Je sais bien que vous touchez une prime si tout le monde passe. Mais ma fille, elle est vraiment trop nulle. Il faut quelle redouble.

Tant pis pour vous. Désolé.

Avec tout mes regrets et mes salutations distinguées.

∞

Médaillé Fields

Madame,

Quoique vous dites et quoique vous faites, 2 et 1 ça fera toujours 3, alors ne vous compliquez pas la vie avec vos nouvelles méthodes et laissez moi apprendre à ma fille avec une méthode qui a fait ses preuves puisque moi je sais faire une division.

Salutations reconnaissantes.

✦

Légaliste

Madame,

Pourriez-vous me donner les références du nouveau texte de loi qui abroge l'arrêté du 23 novembre 1956, lequel interdit les devoirs à la maison ? Dans la mesure où vous êtes fonctionnaire, donc soumise à obéissance, et que ma fille passe une heure chaque soir à travailler, j'ai en effet dû laisser passer un décret.

Cordiales salutations.

✦

Vous avez du feu ?

Monsieur,

Ne vous en faites pas, vous pouvez gardé le briquet que vous avez confisqué à Walter, je n'en ai pas besoin et je ne vais pas me déplacée de chez moi pour ça. En plus, ça lui apprendra.

Merci de votre compréhension.

✦

Homo homini lupus est

Madame,

Oui, Christian s'est battu dans la cour. Et alors ? C'est moi qui lui ai dit de se défendre. Vous croyez qu'en dehors de l'école, dans la vraie vie, c'est le monde des Bisounours ?

J'assume. Si vous voulez punir quelqu'un, adressez-vous donc à moi.

Cordialement,

❦

Le détail qui change tout

Madame,

Je me permets d'apporter une correction à la photocopie que vous avez distribuée hier, correction qu'il me semblerait utile de porter à la connaissance de l'ensemble des élèves de votre classe.

L'échassier qui illustre votre texte n'est en effet pas un héron cendré, comme écrit par erreur dans la légende, mais un héron à tête blanche (ardea pacifica).

Ne devons-nous pas dès maintenant donner à nos enfants le goût de l'exactitude ?

Avec toute ma considération,

❦

Mot à tifs

Madame,

Ne vous étonnez pas de la coupe de cheveux de mon fils ce matin. C'est parce qu'il a perdu son pari et moi son père j'estime qu'il est important de tenir sa parole quand on l'a donnée. La prochaine fois, il réfléchira.

Cordialement,

❧

Avec modération

Madame,

Je soussigné, Pierre Durand, père de l'élève Guylain Durand, autorise sa maîtresse à lui donner une claque quand il en a besoin.

PS : Mais pas trop fort.

❧

Supporteur inconditionnel

Madame,

J'atteste par la présente lettre de ma solidarité avec vos décisions, même quand vous vous trompez.

❧

Peur sur la fille

Madame,

Je vous informe que ma fille a fait des cauche-mars toute la nuit suite au film que vous avez passé en classe hier. Les nouvelles méthodes pédago-giques ont sans doute trouvé là leurs limites…

Respectueusement,

Tu vas voir ta g…

Monsieur

N'hésitez pas à me dire si Mathieu fait n'im-porte quoi en classe, je lui règlerai son compte à la maison.

Merci de votre compréhension car je ne veux pas que mon fils devienne un voyou.

Libre opinion

Faire du kayak trois heures chaque jeudi après-midi, c'est très bien. Mais pendant ce temps, à l'école privée, ils font du français, des maths et de l'anglais. Elle est où, l'égalité des chances ?

Milice privée

Monsieur le directeur,

Suite aux problèmes rencontrés jeudi dernier, je vous propose de venir faire la sortie des classes chaque soir jusqu'aux vacances afin de calmer un peu les esprits. Notre école ne doit pas devenir le Bronx et ce n'est pas quelques voyous non-éduqués qui doivent troubler la sérénité de votre établissement scolaire.

Dans l'attente de votre réponse et restant à votre entière disposition, je vous prie d'agréer, Monsieur le directeur, l'expression de mes sentiments les plus distingués.

❦

Petite nature

Madame,

Je vois vraiment pas pourquoi vous apprenez à mon fils à monté sur une boule ? Il a dit que vous leur avez dit que c'est le cirque ! Mais on veut pas qu'il devient un cloun ! Déjà qu'il est doué pour ça en classe ! Et en plus il a le vertige ! Et il ma dit qu'il est tombé ! Et on veut pas qu'il se blesse parce que il manque de calcium et les os se réparent pas facilement !

Merci de tenir compte de mon mot. Vous savez, il vous aime bien quand même.

❦

Hussarde noire de la République

Madame,
Sauf erreur de ma part, il me semble que les pratiques pédagogiques ont quelque peu évolué depuis votre passage à l'école normale d'institutrices, ce dont je ne me rends pas forcément compte de prime abord en lisant vos cours...
Veuillez croire en mes respectueux sentiments.

※

Superfétatoire

Madame,
Il est or de question que mon fils vient en cour de soutien en francais. Il est pas fou.
En revoir.

※

Assurance tous risques

Monsieur,
Vous en fètes pas pour Ahmed. J'ai dit a sa mère de s'en occupé. Il va obéire maintenant. Si non tant pis pour elle.
Avec mon respect.

※

Tromperie

Monsieur,

Que je sache, jusqu'à l'adultère, c'est moi le responsable de mon fils. Alors laissé moi l'éduqué à ma manière qui n'est pas pire que la votre.

❦

Un homme averti en vaut deux

Monsieur,

Autant vous prévenir tout de suite : si vous punissez mon fils à chaque fois qui l'ouvre en classe, vous n'avez pas fini ! Bon courage pour cette année ! En tout cas ça n'a pas l'air très bien partie.

Salutations.

❦

Méthode forte

Monsieur,

Je suis daccord pour que vous êtes le père a mon fils a l'école comme sa vous pouvez le tapé si il fait une connerie.

X. Parents + prof = amour

*Les professeurs ouvrent les portes
mais vous devez entrer vous-même.*

Proverbe chinois

I'm a poor lonesone pupil

Madame,

Nous sommes une famille unie, nous travaillons dur et ne faisons de mal à personne. Devons-nous divorcer, nous saouler, nous prostituer et frapper notre fils pour que vous vous intéressiez un peu à lui? Il ne nous semble pas exagéré que chaque élève bénéficie d'un peu d'attention de la part de celle qui est chargée de l'instruire.

Nous sommes à votre disposition si vous souhaitez nous rencontrer.

∽

Nul n'est censé ignorer la loi

Monsieur,
J'ai bien noté que vous me réclamiez l'argent des photos. Mais êtes-vous certain que vous aviez le droit de prendre ma fille en photo ?
Bien à vous,

❧

Trop, c'est trop

Madame,
Sa suffit maintenant : y'a des jours ou il faut pas me cherché, et y'a des jours tous les jours.
Tenez vous le pour dit.

❧

La boulette

Monsieur,
Juste quelques mots pour égayer votre journée : la personne à qui vous avez grillé la priorité hier et à qui vous avez poliment adressé un doigt d'honneur... C'est moi !
Avec mes salutations respectueuses,

❧

La boulette *(bis)*

Monsieur le Directeur,

Le sobriquet dont vous m'affublez m'aurait peut-être fait sourire si vous me l'aviez dit en face. Mais l'entendre par inadvertance alors que je venais vous voir dans votre bureau ne m'a pas été très agréable aux oreilles, doux euphémisme.

Veuillez croire, Monsieur le Directeur, en ma plus haute considération.

❧

Errare professorum est

Madame,

Vous prétendez être professeur mais vous ne savez même pas calculer la moyenne de mon fils. Heureusement qu'à Bercy, ils ne calculent pas votre salaire de cette manière !

Respectueusement,

Signé : un père d'élève pas content de votre erreur

❧

Il faut sévir

Monsieur le directeur,

Vous connaissez la fameuse phrase « travailler plus pour gagner plus » ? Chez madame Dupont,

c'est plutôt «travaillez moins pour gagner plus»!!!
Allez donc faire un petit tour du côté de sa classe.
Vous verrez bien que, comme dit mon fils, c'est
vraiment le bordel.

Je vous remercie de bien vouloir rappeler à cette
maîtresse les principes élémentaires de son métier.
C'est vous le chef, non?

Respectueusement vôtre,

※

La curiosité est un vilain défaut

Madame,
Vous n'avez pas à vous mêler de notre vie privée.
Punissez notre fils quand vous voulez sur les heures
scolaires, mais, en dehors, c'est notre problème.
On gère notre vie comme on l'entend. Il n'est pas
question que nous nous déplacions à six heures du
soir à l'école pour venir le récupérer. Vous n'avez
qu'à le ramener à la maison en voiture, à vos
risques et périls. On travaille, nous!

※

Dermatologue

Madame,
Permettez-moi en toute amabilité de vous
donner un petit conseil: vu la durée des récréations lorsque vous les surveillez, vous devriez vous

mettre de la crème solaire, porter un chapeau et protéger vos yeux avec des lunettes de soleil.

Et pendant ce temps, nos enfants se préparent-ils pour le collège ?

Salutations distinguées.

❧

Coucou c'est moi !

Madame,

Ca vous ferait plaisir si votre inspecteur il venait par surprise comme vous vous faites des interros surprise ? Alors ayez pitié des enfants ou je lui dit de passer vous voir.

Merci et mes salutations.

❧

La Castafiore

Madame,

Votre accent du midi ensoleille la classe. Mais quand vous criez sur nos enfants, on dirait une poissonnière et on vous entend de dehors. Merci de ménager leurs tympans.

Sans rancune et bonne journée à vous.

❧

Tous unis dans l'adversité

Monsieur le directeur,
La maîtresse de Quentin fait l'unanimité contre elle dans notre famille. Que pouvons-nous faire ?

❦

Doucement le matin, pas trop vite l'après-midi

Madame,
Vous avez déjà la semaine de quatre jours. Vous ne voulez pas en plus la journée de quatre heures ?
Alors respectez les horaires s'il vous plaît. Nos enfants sont à l'école pour travailler.
Salutations distinguées.

❦

Humours différents

Monsieur,
Votre histoire de chasse au dahu pendant la classe de neige, ce n'était pas drôle du tout. La preuve, c'est que Morgan nous a fait marcher toute la soirée avec ça. Et notre autorité parentale, alors ?
L'école, c'est sérieux, même à la neige !
Salutations.

❦

Gouverner, c'est prévoir

Madame,
Pouvez-vous me dire si vous serez là l'année prochaine? C'est pour savoir si j'inscris mon fils dans le privé?
Salutations.

❧

Chacun pour soi

Monsieur,
Vous plaisantez j'espère? Si vous croyez que je n'ai que ça à faire! Vous êtes payé pour exercer un métier, et moi aussi. Les histoires d'école ne regardent que vous. Et moi, je vous fais part de mes problèmes de bureau sans doute?
Bonne journée.

❧

Scribouillarde

Monsieur,
C'est bien moi qui a écrit le mot et je n'apprécis pas que vous dites a mon fils comme quoi c'est lui qui la écrit.

❧

Précision suisse

Madame,
L'exactitude est la politesse des rois, disait Louis XVIII. Etes-vous régicide?
Cordialement,

❧

Les bons comptes font les bons amis

La France doit des milliards et vous, vous me faites un pataquès pour dix centimes? Mais vous vous prenez pour qui? Le sauveur de la nation?

❧

Rancunier

Monsieur,
J'espère que ce n'est pas avec l'argent de la coopérative scolaire que vous avez acheté le cadeau de départ à la retraite à madame Dupont*.
Parce que moi, cette dame, je ne lui dois rien et je ne pleurerai pas son départ!
Bon vent à elle et respectueusement à vous.

Note de l'auteur: une collègue.

❧

Vexée

Madame,

Vous avez dit à Mélanie qu'elle devrait peut-être aller consulter un ophtalmologiste. Est-ce que nous, nous vous conseillons d'aller voir une orthophoniste au vu des fautes d'orthographe qui émaillent les photocopies que vous distribuez à vos élèves ?

Je vous remercie donc de bien vouloir nous laisser jouer notre rôle de parents auprès de notre fille.

Cordialement,

❦

Économe

Vous me demandez encore un mot ? Mais qui c'est qui paye l'encre et le papier ? C'est vous peut être ? Alors ? Vous faites moins le malin maintenant !

Merci et sans rancune.

❦

Fainéants !

Je note hier 28 juin
1) rentrée à 08 h 45
2) récréation de 10 h 00 (et même 09 h 55 pour les CE2A) à 10 h 30

3) rentrée à 13 h 45
4) récréation de 15 h 00 à 15 h 45
5) par contre à l'heure pour la sortie du matin et celle du soir

Ca va, c'est pas trop long entre les poses?

❦

Amour quand tu nous tiens

Mademoiselle,

Pendant les récréations, merci de bien vouloir éviter les attitudes par trop personnelles dans votre classe avec votre collègue du CM1 car il y a des enfants qui vous voient quand ils vont aux toilettes.

Cordialement,

❦

Flash

Monsieur,

Même les radars ont des panneaux pour indiquer leur présence. Et pourtant, hier, Xavier a été puni sans que vous ne l'ayez prévenu. Alors où est la justice? Etes-vous au-dessus des lois? On verra bien votre réaction quand vous vous ferez prendre.

Salutations distinguées.

❦

Beau gosse

Monsieur,

Le matin c'est bien beau de faire le paon au portail en roucoulant devant votre cour de mères d'élèves mais pendant ce temps ma fille elle se les gèlent dehors en vous attendant et toutes les autres classes sont rentrées.

Bonjour la mentalitée !

Au revoir.

XI. Les parents entre eux

Un enfant prodige est un enfant dont
les parents ont beaucoup d'imagination.

Jean Cocteau, poète français, 1889-1963

Hypocrite

Monsieur,

Un grand merci pour ne pas avoir mis mon fils
avec Stéphane Durand. Hier soir, sa mère était
en colère. Je l'ai calmée en lui disant que tant pis,
même si ce n'était pas correct de votre part, on
ferait contre mauvaise fortune bon cœur. Elle ne
devrait donc pas venir vous voir pour protester. En
tout cas, si c'est le cas, ne cédez surtout pas !

Vous renouvelant mes remerciements, je vous
souhaite une excellente année scolaire.

❧

V pour vendetta

messieur

vendredi kevin a tapé jordan mais c'est parce que il lavait traité. et bien ce wikend son père ma dit que si il recommence il lui arangera le portrait. alor je vous préviens tout de suite que si y touche a mon fils je lui éclate la tête

et sait pas moi qu'est commencé vous étez témoin parce que ya une preuve parce que j'ai écrit une lettre.

merci messieur.

❧

Profession concierge

Monsieur,

Je vous informe sous le seau du secret que les parents à Julie Durand s'engueulent tous les soirs et que parfois ils se battent. Je le sais car je suis leur voisine. C'est pour ça quelle travaille mal à l'école et quelle a des mauvaises notes.

Je compte sur votre discrétion pour cette information confidentielle défense car je veux garder des relations de bon voisinage mais leur petite me fait pitiée.

Je vous présente mes meilleures salutations distinguées.

❧

Mise au point

Monsieur le directeur,

Je vous écris ces quelques lignes en ce début d'année pour éclaircir une situation qui pourrait vous paraître compliquée à première vue.

Depuis cet été, je vis avec un homme qui n'est autre que l'ancien conjoint de madame Durand*. Le nouveau beau-père de Maxence est donc le papa de Ludovic Durand, qui porte son nom, mais il n'en a plus la responsabilité depuis août.

Je vous prie donc de bien vouloir noter ce changement par rapport à l'année dernière. Pour faciliter les choses, le mieux est à mon avis de vous adresser exclusivement à madame Durand pour Ludovic et à moi pour Maxence, car l'homme qui viendra chercher Ludovic n'est que le nouveau copain de sa mère. Il n'a aucun titre légal et ça pourrait vexer son vrai papa (mon actuel compagnon).

De plus, vous comprendrez aisément qu'il est préférable en classe de séparer Maxence et Ludovic pour toutes les raisons exposées ci-dessus.

Restant à votre entière disposition pour tout renseignement complémentaire, je vous prie de croire, Monsieur le directeur, en l'expression de mes sentiments les meilleurs.

Note de l'auteur : mère d'élève.

❧

Question de principe

Monsieur le directeur,

Je ne veut plus que ma fille joue avec Stéphanie car mon mari bientôt ex mari ma trompée avec sa mère.

Merci d'avance monsieur le directeur.

❧

Regrettable confusion

Monsieur,

Les parents de l'élève de votre classe qui devaient nous passer le DVD de classe de neige nous ont en fait donné un DVD classé X.

Veuillez le trouver ci-joint sous enveloppe fermée. Pouvez-vous les contacter afin qu'ils nous donnent le bon DVD ?

Nous vous en remercions par avance et vous prions de croire en nos sentiments les plus distingués.

❧

Génétique

Monsieur,

Vu que le père de Sofiane est encore en prison,

Vu que sa mère est aux abonnés absents pour élever toute la smala,

Vu que ses grands frères trafiquent dans la cité,
Vu que le tout donne une famille un peu louche,
J'interdis formellement à mon fils Jean Durand
tout contact avec son camarade Sofiane.
A Trifouillis-les-oies le 6 septembre 2013

❧

Envie pressante

Monsieur,
Si vous trouvez que ça sent l'urine quand vous
ouvrez les fenêtres de votre classe, demandez à
Lucien Durand et à son père ce qu'ils en pensent
depuis hier soir vers les 22 h 45 si vous voyez ce que
je veux dire. Mais moi je ne vous ai rien dit.
Meilleures salutations.

❧

Vaste débat

Madame,
Pouvez-vous me dire s'il est normal que je paye
le tarif maximum pour la classe de neige alors que
dans la classe de Fabrice il y en a pour qui c'est
gratuit dont un qui roule en BMW ?

XII. Les incompréhensions

Je me heurte parfois à une telle incompréhension
de la part de mes contemporains qu'un épouvantable
doute m'étreint : suis-je bien de cette planète ?

Pierre Desproges, humoriste français, 1939-1988

Racisme

Madame,
Et pourquoi ce qui vont en soutient sait pas des vrais francais ? Hein ?

❧

Antiphrase

L'absence de Franck est parfaitement justifiée. Je ne vois donc pas pourquoi je vous ferais un mot.

❧

Relookeuse

Madame,

Vous allez me dire que cela ne me regarde pas mais, en tant que maman, je trouve vos tenues bien provocantes pour un professeur chargé d'éduquer nos enfants.

Même si vous êtes jeune et plutôt bien faite de votre personne d'après les dires de certains pères d'élèves, n'oubliez pas que vous avez dans votre classe des garçons qui entrent dans l'adolescence, avec tout ce que cela implique au niveau des hormones.

Je vous prie de croire, Madame, en mes salutations les plus respectueuses.

❧

Les quatre coins de l'Hexagone

Monsieur,

Daphnée a opéré un véritable virage à 360 degrés : elle qui faisait auparavant ses devoirs avec enthousiasme et application tente depuis quelques jours de nous les dissimuler et traîne désormais les pieds pour aller à l'école.

C'est pourquoi j'ai l'honneur de solliciter un rendez-vous afin de trouver la cause de ce changement.

Avec toute ma considération.

❧

La belle et les bêtes

Madame,
Vous voulez que j'achète la photo de classe de ma fille ? Non mais vous avez vu la tête des autres ? Alors c'est non merci !
Cordialement

❧

C'est la jungle

Madame,
Je comprend rien aux groupes que vous avez fait en classe. Mike me dit qu'il y a les guépards, les girafes, les éléphants et les tortues. On est pas en afrique !

❧

Dure réalité

Monsieur,
Faut-il être délégué de parents d'élèves pour que son enfant est de bonnes notes ?
Je précise que je plaisante mais je ris jaune quand même.
Respectueusement,

❧

Obsédé

Madame,

Je vous mets en garde en toute amitié : lorsque vous distribuez un document élaboré par vos soins, méfiez-vous des expressions qui vous paraissent anodines de prime abord, comme « planter la tente ».

Cordialement,

❧

Mauvais coup (de téléphone)

Merci de ne pas me téléphoner lorsque cela me dérange.

Salutations.

❧

Le matin du grand soir

Monsieur,

Vous avez vu hier sur TF1 ceux qui ont dit ? Ils vont viré 1 fonctionnaire sur 2. Si ils fermes la moitié des classes faut pas vous laissez faire ! On va faire une manif ! Vous pouvez comté sur nous.

On est avec vous, monsieur.

Bon courage et au revoir et a bientot.

❧

1er degré

Madame,

J'ai été au docteur hier et bien il ma dit que ma fille était pas à l'airgique au travail comme vous lui avait dit l'autre jour. Et lui il est docteur et pas vous.

Ah.

❧

Élémentaire, mon cher Watson !

Madame,

Votre exercice était bien trop dur !

La preuve, c'est que même moi son propre père je n'ai pas réussi à le faire ! Et pourtant j'ai été au collège dans ma jeunesse !

XIII. Travail facultatif

L'homme n'est pas fait pour travailler.
La preuve : ça le fatigue.

Anonyme

Cinéphile

Madame,

Le soir, moi je rentre du travail et je fait la cuisine et la vaisselle et après c'est le film. Quant est-ce que vous voulez que je fasse les devoirs à Bruno ?

Salutations distinguées.

❧

Omerta

Madame,

Hier à la télé ils ont dit que les devoirs étaient interdit à la maison. Et vous vous en donnez à ma fille. Alors je vous dénonce pas parce que je suis pas une balance mais il faut pas lui donnée de mauvaise note. D'accord ?

Bonne journée et comptez sur mon silence.

❧

Fa bémol (vaut mi)
(mot scotché à un sac congélation fermé)

Madame,

Veuillez trouver ci-joint la preuve que mon fils a bien fait ses exercices. Hélas, notre chien a malencontreusement vomi dessus.

Veuillez accepter toutes nos excuses.

❧

Brigandage

Madame,

Je certifie que Christophe avait bien fait son DM* à rendre pour aujourd'hui mais nous nous sommes fait cambrioler ce week-end et il a disparu avec le reste.

Respectueusement,

Note de l'auteur : devoir maison.

❧

Faute avouée est à moitié pardonnée

Monsieur,
Je vous informe que mon fils n'a pas fait son exercice de maths. Mais comme il ne veut pas faire d'études scientifiques plus tard, ça n'a pas d'importance, n'est ce pas?

❧

Il est des nôôôôôtres

Madame,
Aurélien n'a pas fait ses devoirs car ce week-end c'était les noces d'or de ses grands-parents. Tous ses cousins-cousines étaient là, et il en a bien profité parce qu'il y avait une super ambiance.

❧

Noces d'étain

Madame,
Dix ans de mariage, ça se fête, non? En tout cas, c'est ce que je vous souhaite. Tout ça pour vous dire que Jérémy n'a pas fait son travail.
Bien cordialement,

❧

OK, no problem, man

Madame,
Teddy n'a pas eu le temps d'apprendre sa poésie hier soir. Mais je ne sais pas si c'est si grave qu'il faille le punir, alors soyez cool…

⁕

Pied de nez

Mademoiselle,
Je vous informe qu'Arnaud n'a pas appris ses leçons à cause de sa fracture du pied.
Je vous remercie d'en tenir compte.

⁕

Tâche insurmontable

Monsieur,
Si vous voulez que mon fils fasse ses devoirs, donnez lui des exercices plus faciles et il les fera.
Il suffit d'y penser, c'est pas plus compliqué.

XIV. Pauvre petit(e) innocent(e)

L'innocence est toujours impossible à démontrer.

Jean Giono, écrivain français, 1895-1970

Erreur judiciaire

Madame,

Isidore est innocent du vol dont vous l'accusez par erreur vu que c'était sa propre barre chocolatée et pas celle du plaignant. La preuve, c'est qu'il m'en reste encore de la même marque à la maison. Attention, il est très fragile psychologiquement et vous l'avez complètement déstabilisé. S'il lui arrive quelque chose, un suicide par exemple, vous porterez une lourde responsabilité.

Je me réserve le droit de porter plainte et de le dire à votre inspecteur.

Salutations

Erreur judiciaire *(bis)*

Madame,

Permettez-moi de vous dire que vous faites erreur. Benjamin n'a jamais volé de sa vie. Il a tout ce qu'il faut à la maison et nos salaires nous permettent encore de lui acheter des fournitures scolaires. Vous voulez que je vous montre nos fiches de paie ? Je ne vois vraiment pas pourquoi il fouillerait dans les trousses des autres.

La prochaine fois, avant d'accuser notre fils, menez votre enquête plus sérieusement.

Je reste à votre disposition.

⌘

Lama des Andes

Monsieur,

Je suis entierement d'accord avec vous, c'est pas bien de craché sur un professeur et vous avez raison de punir ça. Mais c'est pas ma fille qui la fait. Elle y est pour rien dans cette histoire. Vous avez des preuves ? Pourquoi vous me dites pas le nom des témoins ? C'est grave ce que vous faites. Comptez sur moi je me laisserai pas faire.

Au revoir.

⌘

Saint Innocent

Monsieur,

Mon fils est incapable de faire ce dont vous l'accusez. En plus, hier après-midi, vous m'avez dérangé au travail. Je ne suis pas à votre disposition, moi. J'hésite à appeler votre inspecteur.

Salutations.

❧

L'œil de Caïn

Madame,

J'espère pour vous que vous avez agi en toute connaissance de cause lorsque vous avez privé Antoine de récréation.

Ne vous plaignez pas ensuite si notre fils montre moins d'empressement à votre égard qu'envers sa maîtresse de l'année dernière qui, elle, savait le prendre.

Ne trouvez-vous pas étrange en effet qu'un enfant de huit ans se bloque ainsi face à un adulte ? Le propre du pédagogue responsable n'est-il pas de se remettre en question face aux difficultés cognitives de l'apprenant ? Que pouvez-vous donc déduire de son changement d'attitude ?

Je vous laisse avec votre conscience et vous prie de croire en mes sentiments distingués.

❧

Principe du contradictoire

Monsieur,

J'ai lu attentivement votre version des faits. Maintenant, c'est à votre tour d'écouter mon fils vous dire ce qui est vrai et ce qui est faux dans ce qu'a raconté la maîtresse.

Ensuite seulement vous pourrez prendre une décision que j'espère juste. L'innocenter par exemple.

Restant à votre disposition, je vous adresse mes cordiaux sentiments.

~❧~

SOS DCRI*

Monsieur,

Hier, dans le feu de l'action, vous m'avez certifié au téléphone que c'était Antoine qui avait cassé la vitre.

Mais aujourd'hui, à froid, êtes-vous toujours sûr de vous à cent pour cent ? Vous savez très bien que le témoignage d'un mineur ne vaut rien. Vous-même, étiez-vous physiquement présent sur les lieux lorsque cela s'est passé ?...

Antoine a certes avoué. Mais n'était-ce pas par peur d'une éventuelle sanction ? N'avez-vous pas abusé de votre statut et de votre fonction pour extirper ces aveux ?...

Je me permets de vous écrire car notre fils est

on ne peut plus calme à la maison et suis vraiment surpris de cet acte qu'en ce qui me concerne je mets au conditionnel.

Il me semble que dans cette histoire seule une enquête approfondie, indépendante et menée par des professionnels, rendrait un verdict impartial, auquel je me soumettrais sans problème car je suis respectueux des lois et je ne fuis pas mes responsabilités de père.

En attendant les résultats que vous ne manquerez pas de me communiquer par honnêteté intellectuelle, je vous prie de croire, monsieur, en mes sentiments les plus respectueux.

Note de l'auteur : direction centrale du renseignement intérieur.

❧

Gestapiste

Monsieur,

Il est tout à fait normal que vous cherchiez un coupable, c'est le contraire qui eût été étonnant. Cependant, il est inutile de soupçonner Christian car il m'a certifié hier droit dans les yeux qu'il n'avait rien fait.

Je vous remercie donc de bien vouloir cesser immédiatement vos interrogatoires à son encontre.

Salutations distinguées.

❧

Qui c'est qui commande ici ?

Monsieur,
Lucas n'a encore jamais été collé. Ce n'est donc pas aujourd'hui qu'il va prendre pour les autres.

Moi son père, je vous dis donc qu'il n'effectuera pas son heure de colle lundi. Je viendrai en personne le chercher à la fin de ses cours, à 16 heures.

❧

Soyez pas vache !

Madame,
Excusez mon fils pour le meuh d'hier : c'était sa grand-mère qui l'appelait. Ce n'était donc pas sa faute. Merci de lui rendre son portable car je ne peux pas me déplacer.

❧

Tibétain

Monsieur,
Ce n'est pas parce qu'il va y avoir les J.O. à Pékin qu'il faut enfermer mon fils innocent en classe et le priver de récréation.

Et les droits de l'homme alors ?

❧

Responsable mais pas coupable

Monsieur,

Evidemment que mon fils s'est battu! C'est parce que c'est l'autre qui l'a tapé! Et qui surveillait la cour? Personne, comme dab! Alors faudrait un peut dire aux surveillants de surveiller et mon fils, il se battra plus!

Voila!

❧

Caliméro

Monsieur,

C'est toujours pareil, mon fils est dans tous les coups. Il n'est pas méchant pour un sou mais il se laisse entraîner par les autres. Mais à mon avis, la maîtresse doit quand même lui en vouloir. Vous ne croyez pas qu'elle exagère un peu les faits? Ce n'est qu'un enfant après tout!

Merci de lui pardonner.

PS : et toutes mes excuses à la maîtresse

XV. En toute confidentialité

La confidence n'est parfois
qu'un succédané laïque de la confession.

Jules Romains, écrivain français, 1885-1972

Pet!

Monsieur,
Fait gaffe, il y a mon ex qui veut vous faire la peau à cause que Corentin il a des notes pourries.

❧

Verlan

Monsieur,
Si vous virez Arnaud sa va etre un truc de ouf avec son père. Alors gardez le SVP merci.

❧

Beau merle

Madame,
Hier a Carrefour, c'est pas vous que je siflais, c'était mon chien.
Alors pardon, je m'excuse du font du coeur. J'espère que vous ment voulez pas et que vous le direz pas.
Merci et bonne journée. Encore pardon.

Cordon Bleu

Madame,
Je vous rendrais le livret à Mehdi que jeudi parce que hier j'avais fait un gateau et je ne voulais pas que mon mari il prive Mehdi de dessert.
Je vous re merci de votre gentillesse.

Laissez-la vivre

Madame,
Excusée ma fille, j'ai pas la tête a m'en occupée parce que je suis en cloque et il faut que j'arrange ça. Le dite pas a mon mari surtout.

Tout part à vau-l'eau (d'égout)

Madame,

Veuillez excuser l'odeur corporelle de mon fils ce matin, mais nous avons eu des problèmes de fosse septique ce week-end.

Avec mes respectueuses salutations.

~

Chacun son tour

Madame,

Je vous prie de bien vouloir vous montrer magnanime envers notre fille Charlotte. Si l'année dernière, j'ai effectivement eu un petit coup de déprime, je vais beaucoup mieux depuis la rentrée. Hélas, c'est maintenant ma femme qui a pris le relais. Elle est en burn-out, même si elle refuse de l'admettre, d'où mon mot sous enveloppe fermée.

N'hésitez pas à me joindre personnellement en cas de problème car il vaut mieux laisser ma femme loin des tracas quotidiens pendant quelque temps. Veuillez à cet effet trouver ci-joint ma carte de visite professionnelle avec mes coordonnées.

Je vous remercie de votre compréhension et vous prie de croire, Madame, en mes respectueuses salutations.

~

Femme au volant

Madame,
Je viens de vous voir faire votre créneau. J'espère que vous êtes plus douée pour faire la classe! (lol)
Bonne journée à vous et sans rancune!

❧

Mata-Hari
(mot trouvé dans la boîte aux lettres)

Monsieur le directeur,
Méfiez-vous des mères d'élèves déléguées. Par devant, elles vous font des sourires et des ronds-de-jambes, mais par derrière...
Signé: anonyme

❧

Fair-play

Monsieur,
Allez, je suis sport. J'avoue que c'est moi qui a aidé Cédric pour son devoir.
Et merci de votre indulgence car faute avouée est à moitié pardonnée.

❧

Bonté récompensée

Madame,

Je vous donne l'argent pour la photo parce que hier mon mari il vous a donnée un chèque en bois mais moi je voulais pas parce que vous etes gentille.

❧

Retour sur investissement

Madame,

C'est le grand frère à Sandrine Durand avec un copain qui a rayé votre voiture vendredi.

Pour me remerciée, j'espère que vous serez gentille avec mon fils.

Et merci de brulée cette lettre.

❧

Grosse déprime

Monsieur,

Je vous annonce que malheureusement pour eux la justice a décidé de rendre mes enfants à mon ex-femme, alors que je les ai gardé tout seul presque deux ans pendant qu'elle était partie vivre sa vie sans penser à nous.

Mais le juge était une femme…

Ils seront donc bientôt scolarisés ailleurs et vont quitter votre école. Quat à moi, je vais perdre mes seules raisons de vivre…

XVI. Les remerciements

*Un seul mot, usé, mais qui brille comme
une vieille pièce de monnaie : merci !*

Pablo Neruda, écrivain chilien, 1904-1973

Ce n'est qu'un début, continuons le combat

Madame,

Nous sommes de tout cœur avec vous pour
la grève de jeudi. J'espère que votre collègue du
CM1CM2 qui, je suppose, sera la seule présente,
comme d'habitude, refuse évidemment les avan-
tages pour lesquels vous luttez !

Bon courage en tout cas d'accepter de perdre
une journée de salaire et merci de vous battre pour
nos enfants.

Mme Durand, maman de Géraldine.

❧

Foncièrement bonne

Madame,
J'ai bien vu que vous métez des bones notes à Jessica et elle travaille pas bien.
Merci vous etez une gentille maîtresse.

⁓

Délicatesse

Madame,
Tant pis pour votre ligne, voici des chocolats pour votre investissement dans votre métier.
Merci pour tout ce que vous avez fait pour Aurélie et bonnes vacances.

⁓

Passée la première impression...

Madame,
Je vous remercie bien sincèrement d'avoir réglé le problème de Vincent avec ses camarades. Finalement, vous êtes une aimable personne qui gagne à être connue !
Avec toute ma reconnaissance,

⁓

Vagabond

Monsieur,

Après avoir été chassé de chez moi par mon ex femme, me voici aujourd'hui chassé de chez mes ex beaux parents, puisque eux aussi divorcent. Je vais donc quitter la région. Rémy et Alexandra ne fréquenteront plus votre école à dater du lundi 12. Je vous remercie pour l'accueil qui leur a été fait. Ils auront passé deux mois très agréables.

Bonne continuation et merci encore.

❦

Fan inconditionnelle

Madame,

Tenez bon! Et surtout, ne lâchez rien! Les réformes, c'est comme les ministres, ça passe, ça lasse, ça casse. Au moins, avec vous, nous sommes certains que nos enfants apprendront à lire et à écrire correctement.

En tout cas, un immense merci pour tout ce que vous avez fait pour Séverine. Nous espérons de tout cœur que dans deux ans c'est vous qui aurez son petit frère.

Ci-joint un modeste cadeau en reconnaissance.

Très cordialement,

❦

Référence

Monsieur,
Merci et bravo d'avoir retrouvé le MP3 à Ryan.
Vous êtes encore mieux que Navarro !

❦

À la barre

Monsieur,
Nous vous adressons nos plus vifs remerciements pour cette excellente année scolaire. Veuillez trouver ci-joint un petit cadeau et notre carte de visite.

N'hésitez pas à nous contacter si vous avez un procès. C'est avec plaisir et reconnaissance que nous témoignerons en votre faveur.

Excellentes vacances à vous et votre famille.

Mots d'excuse

Les inédits

Recherche de performance

Madame,
Hé oui c'est encore la mère à Julien pour le retard à son fils. Je crois que cette année je vais battre mon record !
Excusez-moi encore et à bientôt.

⁂

Les démons de minuit

Monsieur,
Eric est en retard a cause des images* d'hier soir. On est rentré tard et ce matin il était trop fatigué mais sa lui a plu.

Note de l'auteur : il s'agissait du groupe de variétés « Images ».

⁂

Le silence est dort

Madame,
Excusez le retard a Léo c'est moi qui lui est interdit de mettre son réveil parce que sa nous réveil.
Merci et bonne journée.

❦

Ornithologue

Madame,
Julie n'a pas été à l'école lundi et mardi car elle est partie vers narbonne, elle était contente elle s'est baignée l'eau été à 20°degrés, elle a vu des flamants roses et des moites

❦

Pour solde de tout compte

Madame,
J'escuse l'absence de Jimmy lundi et le lundi davant et je mescuse que j'ai perdu le mot d'absence que j'ai du recommencé dimanche et en meme temps j'escuse son absence de demain.

❦

Les portes du pénitencier

Madame,
Merci d'excuser l'absence de François hier matin : c'est à cause de la porte du garage qui est restée bloquée.
Salutations distinguées

❦

Chanel n° 5

Madame,
Merci de bien vouloir changer le voisin de table de ma fille car je suis obligée de lui changer ses vêtements tous les jours vu que c'est une odeur un peu spéciale.
Mais ce n'est pas du racisme de ma part.
Merci d'avance.

❦

Bas les pattes !

Pouvez-vous SVP éviter de vous promenez entre les rangées pendant les contrôles parce que vos chaussures font du bruit à chaque pas et ça déconcentre ma fille ?
Avec mes remerciements anticipés.

❦

La vérité si je mens

Madame,
Avez vous le numéro de portable a la maman a
Jason Durand SVP?
Merci
PS: c'est pour noté les lecons

❧

Jeu de main, jeu de vilain

Monsieur,
Je vous informe que y'en a chez les CM2 qui
joue au kim toucher en plotant les filles.
Merci.

❧

Coluche

Monsieur,
Vous dites que votre cantine c'est un restaurant
scolaire mais c'est plutôt les restos du cœur parce
que c'est vraiment infect!

❧

Forte perturbation

Monsieur,
A cause de vous mon fils est grave trop matisé.

❧

Vexée comme un pou

Monsieur,
Je vous signale que ma fille na pas de lentes, c'est juste des paillettes qui restent du réveillon.

❧

Orientation précoce

Monsieur,
Y a t'il des écoles moins dure que le collège, Passque sa va etre trop dure pour Kévin? Par exemple pour conduire des camions passque il veut etre routier?

Table des matières

Nouveaux Mots d'excuse
Les parents écrivent encore aux enseignants

Mots d'excuse
Les inédits

Vous avez ri avec le livre,
allez voir la pièce de théâtre

conception
réalisation
mise en page
44405 Rezé cedex

Imprimé en Espagne

Dépôt légal : septembre 2014
ISBN : 978-2-7499-2348-2
LAF 1832